Guy de Maupassant

Pierre et Jean

Dossier et notes réalisés par
Arnaud Rochelois

Lecture d'image par
Valérie Lagier

folioplus
classiques

Agrégé de Lettres Modernes, **Arnaud Rochelois** enseigne actuellement au lycée Timbaud de Brétigny-sur-Orge (Essonne). Il effectue à l'université de la Sorbonne (Paris IV) des recherches sur le romancier Joseph Delteil.

Conservateur au musée de Grenoble puis au musée des Beaux-Arts de Rennes, **Valérie Lagier** a organisé de nombreuses expositions d'art moderne et contemporain. Elle a créé, à Rennes, un service éducatif très innovant, et assuré de nombreuses formations d'histoire de l'art pour les enseignants et les étudiants. Elle est l'auteur de plusieurs publications scientifiques et pédagogiques. Elle est actuellement adjointe à la directrice des Études de l'Institut national du Patrimoine à Paris.

Couverture : Claude Monet, *La Jetée du Havre par mauvais temps*. Collection particulière. Photo © Sotheby's Picture Library, Londres.

Sommaire

Sommaire

Pierre et Jean

Le roman

Je n'ai point l'intention de plaider ici pour le petit roman qui suit. Tout au contraire les idées que je vais essayer de faire comprendre entraîneraient plutôt la critique du genre d'étude psychologique que j'ai entrepris dans *Pierre et Jean* [1].

Je veux m'occuper du Roman en général.

Je ne suis pas le seul à qui le même reproche soit adressé par les mêmes critiques, chaque fois que paraît un livre nouveau.

Au milieu de phrases élogieuses, je trouve régulièrement celle-ci sous les mêmes plumes :

— Le plus grand défaut de cette œuvre, c'est qu'elle n'est pas un roman à proprement parler.

On pourrait répondre par le même argument.

— Le plus grand défaut de l'écrivain qui me fait l'honneur de me juger, c'est qu'il n'est pas un critique.

Quels sont en effet les caractères essentiels du critique ?

Il faut que, sans parti pris, sans opinions préconçues, sans idées d'école, sans attaches avec aucune famille d'artistes, il comprenne, distingue et explique toutes les tendances les

---

1. Ces pages ne portent donc pas spécifiquement sur *Pierre et Jean*, en revanche, Maupassant définit dans ce premier paragraphe le genre précis de son roman. Dans des lettres, il parle aussi à propos de *Pierre et Jean* de « roman de mœurs ».

plus opposées, les tempéraments les plus contraires, et admette les recherches d'art les plus diverses.

Or, le critique qui, après *Manon Lescaut, Paul et Virginie, Don Quichotte, Les Liaisons dangereuses, Werther, Les Affinités électives, Clarisse Harlowe, Émile, Candide, Cinq-Mars, René, Les Trois Mousquetaires, Mauprat, Le Père Goriot, La Cousine Bette, Colomba, Le Rouge et le Noir, Mademoiselle de Maupin, Notre-Dame de Paris, Salammbô, Madame Bovary, Adolphe, M. de Camors, L'Assommoir, Sapho* [1], etc., ose encore écrire : « Ceci est un roman et cela n'en est pas un », me paraît doué d'une perspicacité qui ressemble fort à de l'incompétence.

Généralement ce critique entend par roman une aventure plus ou moins vraisemblable, arrangée à la façon d'une pièce de théâtre en trois actes dont le premier contient l'exposition, le second l'action et le troisième le dénouement.

Cette manière de composer est absolument admissible à la condition qu'on acceptera également toutes les autres.

Existe-t-il des règles pour faire un roman, en dehors desquelles une histoire écrite devrait porter un autre nom ?

---

1. *Manon Lescaut* (1731) de l'abbé Prévost ; *Paul et Virginie* (1787) de Bernardin de Saint-Pierre ; *Don Quichotte* (1605-1615) de Cervantès ; *Les Liaisons dangereuses* (1782) de Choderlos de Laclos ; *Les Souffrances du jeune Werther* (1774) et *Les Affinités électives* (1809) de Goethe ; *Clarisse Harlowe* (1748) de Richardson, *Émile ou De l'éducation* (1762) de Rousseau ; *Candide ou l'Optimisme* (1759) de Voltaire ; *Cinq-Mars* (1826) de Vigny ; *René* (1802) de Chateaubriand ; *Les Trois Mousquetaires* (1844) de Dumas ; *Mauprat* (1836) de George Sand ; *Le Père Goriot* (1833) et *La Cousine Bette* (1847) de Balzac ; *Colomba* (1840) de Mérimée ; *Le Rouge et le Noir* (1830) de Stendhal ; *Mademoiselle de Maupin* (1835-1836) de Gautier ; *Notre-Dame de Paris* (1831) de Hugo ; *Salammbô* (1862) et *Madame Bovary* (1857) de Flaubert ; *Adolphe* (1816) de Benjamin Constant ; *M. de Camors* (1867) d'Octave Feuillet ; *L'Assommoir* (1877) de Zola ; *Sapho* (1884) d'Alphonse Daudet.
Maupassant mêle dans ce catalogue, pour servir à sa démonstration, les romans d'intrigue, les romans d'analyse et les romans de mœurs.

Si *Don Quichotte* est un roman, *Le Rouge et le Noir* en est-il un autre ? Si *Monte-Cristo* [1] est un roman, *L'Assommoir* en est-il un ? Peut-on établir une comparaison entre *Les Affinités électives* de Goethe, *Les Trois Mousquetaires* de Dumas, *Madame Bovary* de Flaubert, *M. de Camors* de M. O. Feuillet et *Germinal* de M. Zola ? Laquelle de ces œuvres est un roman ? Quelles sont ces fameuses règles ? D'où viennent-elles ? Qui les a établies ? En vertu de quel principe, de quelle autorité et de quels raisonnements ?

Il semble cependant que ces critiques savent d'une façon certaine, indubitable, ce qui constitue un roman et ce qui le distingue d'un autre qui n'en est pas un. Cela signifie tout simplement, que, sans être des producteurs, ils sont enrégimentés dans une école, et qu'ils rejettent, à la façon des romanciers eux-mêmes, toutes les œuvres conçues et exécutées en dehors de leur esthétique.

Un critique intelligent devrait, au contraire, rechercher tout ce qui ressemble le moins aux romans déjà faits, et pousser autant que possible les jeunes gens à tenter des voies nouvelles.

Tous les écrivains, Victor Hugo comme M. Zola, ont réclamé avec persistance le droit absolu, droit indiscutable, de composer, c'est-à-dire d'imaginer ou d'observer, suivant leur conception personnelle de l'art. Le talent provient de l'originalité, qui est une manière spéciale de penser, de voir, de comprendre et de juger. Or, le critique qui prétend définir le Roman suivant l'idée qu'il s'en fait d'après les romans qu'il aime, et établir certaines règles invariables de composition, luttera toujours contre un tempérament d'artiste apportant une manière nouvelle. Un critique, qui mériterait absolument ce nom, ne devrait être qu'un analyste sans tendances, sans préférences, sans passions, et, comme un

---

1. *Le Comte de Monte-Cristo* (1844) de Dumas.

expert en tableaux, n'apprécier que la valeur artiste de l'objet d'art qu'on lui soumet. Sa compréhension, ouverte à tout, doit absorber assez complètement sa personnalité pour qu'il puisse découvrir et vanter les livres même qu'il n'aime pas comme homme et qu'il doit comprendre comme juge.

Mais la plupart des critiques ne sont, en somme, que des lecteurs, d'où il résulte qu'ils nous gourmandent[1] presque toujours à faux ou qu'ils nous complimentent sans réserve et sans mesure.

Le lecteur, qui cherche uniquement dans un livre à satisfaire la tendance naturelle de son esprit, demande à l'écrivain de répondre à son goût prédominant, et il qualifie invariablement de remarquable ou de *bien écrit* l'ouvrage ou le passage qui plaît à son imagination idéaliste, gaie, grivoise, triste, rêveuse ou positive[2].

En somme, le public est composé de groupes nombreux qui nous crient :

— Consolez-moi.

— Amusez-moi.

— Attristez-moi.

— Attendrissez-moi.

— Faites-moi rêver.

— Faites-moi rire.

— Faites-moi frémir.

— Faites-moi pleurer.

— Faites-moi penser.

Seuls, quelques esprits d'élite demandent à l'artiste :

— Faites-moi quelque chose de beau, dans la forme qui vous conviendra le mieux, suivant votre tempérament.

L'artiste essaie, réussit ou échoue.

---

1. Adressent des reproches sévères.
2. Qui donne la préférence aux faits, aux réalités.

Le critique ne doit apprécier le résultat que suivant la nature de l'effort; et il n'a pas le droit de se préoccuper des tendances.

Cela a été écrit déjà mille fois. Il faudra toujours le répéter.

Donc après les écoles littéraires qui ont voulu nous donner une vision déformée, surhumaine, poétique, attendrissante, charmante ou superbe de la vie, est venue une école réaliste ou naturaliste[1] qui a prétendu nous montrer la vérité, rien que la vérité et toute la vérité.

Il faut admettre avec un égal intérêt ces théories d'art si différentes et juger les œuvres qu'elles produisent, uniquement au point de vue de leur valeur artistique en acceptant *a priori* les idées générales d'où elles sont nées.

Contester le droit d'un écrivain de faire une œuvre poétique ou une œuvre réaliste, c'est vouloir le forcer à modifier son tempérament, récuser son originalité, ne pas lui permettre de se servir de l'œil et de l'intelligence que la nature lui a donnés.

Lui reprocher de voir les choses belles ou laides, petites ou épiques, gracieuses ou sinistres, c'est lui reprocher d'être conformé[2] de telle ou telle façon et de ne pas avoir une vision concordant avec la nôtre.

Laissons-le libre de comprendre, d'observer, de concevoir comme il lui plaira, pourvu qu'il soit un artiste. Devenons poétiquement exaltés pour juger un idéaliste et prouvons-lui que son rêve est médiocre, banal, pas assez fou ou magnifique. Mais si nous jugeons un naturaliste, montrons-lui en quoi la vérité dans la vie diffère de la vérité dans son livre.

Il est évident que des écoles si différentes ont dû

---

1. Voir la partie Mouvement littéraire dans le dossier.
2. Fait.

employer des procédés de composition absolument opposés.

Le romancier qui transforme la vérité constante, brutale
et déplaisante, pour en tirer une aventure exceptionnelle et
séduisante, doit, sans souci exagéré de la vraisemblance,
manipuler les événements à son gré, les préparer et les
arranger pour plaire au lecteur, l'émouvoir ou l'attendrir.
Le plan de son roman n'est qu'une série de combinaisons
ingénieuses conduisant avec adresse au dénouement. Les
incidents sont disposés et gradués vers le point culminant
et l'effet de la fin, qui est un événement capital et décisif,
satisfaisant toutes les curiosités éveillées au début, mettant
une barrière à l'intérêt, et terminant si complètement l'histoire racontée qu'on ne désire plus savoir ce que devien-
dront, le lendemain, les personnages les plus attachants.

Le romancier, au contraire, qui prétend nous donner une
image exacte de la vie, doit éviter avec soin tout enchaîne-
ment d'événements qui paraîtrait exceptionnel. Son but
n'est point de nous raconter une histoire, de nous amuser
ou de nous attendrir, mais de nous forcer à penser, à comprendre le sens profond et caché des événements. À force
d'avoir vu et médité il regarde l'univers, les choses, les faits
et les hommes d'une certaine façon qui lui est propre et qui
résulte de l'ensemble de ses observations réfléchies. C'est
cette vision personnelle du monde qu'il cherche à nous
communiquer en la reproduisant dans un livre. Pour nous
émouvoir, comme il l'a été lui-même par le spectacle de la
vie, il doit la reproduire devant nos yeux avec une scrupu-
leuse ressemblance. Il devra donc composer son œuvre
d'une manière si adroite, si dissimulée, et d'apparence si
simple, qu'il soit impossible d'en apercevoir et d'en indiquer
le plan, de découvrir ses intentions.

Au lieu de machiner une aventure et de la dérouler de
façon à la rendre intéressante jusqu'au dénouement, il pren-

dra son ou ses personnages à une certaine période de leur existence et les conduira, par des transitions naturelles, jusqu'à la période suivante. Il montrera de cette façon, tantôt comment les esprits se modifient sous l'influence des circonstances environnantes, tantôt comment se développent les sentiments et les passions, comment on s'aime, comment on se hait, comment on se combat dans tous les milieux sociaux, comment luttent les intérêts bourgeois, les intérêts d'argent, les intérêts de famille, les intérêts politiques.

L'habileté de son plan ne consistera donc point dans l'émotion ou dans le charme, dans un début attachant ou dans une catastrophe émouvante, mais dans le groupement adroit de petits faits constants d'où se dégagera le sens définitif de l'œuvre. S'il fait tenir dans trois cents pages dix ans d'une vie pour montrer quelle a été, au milieu de tous les êtres qui l'ont entourée, sa signification particulière et bien caractéristique, il devra savoir éliminer, parmi les menus événements innombrables et quotidiens tous ceux qui lui sont inutiles, et mettre en lumière, d'une façon spéciale, tous ceux qui seraient demeurés inaperçus pour des observateurs peu clairvoyants et qui donnent au livre sa portée, sa valeur d'ensemble.

On comprend qu'une semblable manière de composer, si différente de l'ancien procédé visible à tous les yeux, déroute souvent les critiques, et qu'ils ne découvrent pas tous les fils si minces, si secrets, presque invisibles, employés par certains artistes modernes à la place de la ficelle unique qui avait nom : l'Intrigue.

En somme, si le Romancier d'hier choisissait et racontait les crises de la vie, les états aigus de l'âme et du cœur, le Romancier d'aujourd'hui écrit l'histoire du cœur, de l'âme et de l'intelligence à l'état normal. Pour produire l'effet qu'il poursuit, c'est-à-dire l'émotion de la simple réalité et pour dégager l'enseignement artistique qu'il en veut tirer, c'est-à-dire la révélation de ce qu'est véritablement l'homme contemporain devant ses yeux, il devra n'employer que des faits d'une vérité irrécusable et constante.

Mais en se plaçant au point de vue même de ces artistes réalistes, on doit discuter et contester leur théorie qui semble pouvoir être résumée par ces mots : «Rien que la vérité et toute la vérité.»

Leur intention étant de dégager la philosophie de certains faits constants et courants, ils devront souvent corriger les événements au profit de la vraisemblance et au détriment de la vérité, car

> *Le vrai peut quelquefois n'être pas vraisemblable* [1].

Le réaliste, s'il est un artiste, cherchera, non pas à nous montrer la photographie banale de la vie, mais à nous en donner la vision plus complète, plus saisissante, plus probante que la réalité même.

Raconter tout serait impossible, car il faudrait alors un volume au moins par journée, pour énumérer les multitudes d'incidents insignifiants qui emplissent notre existence.

Un choix s'impose donc, — ce qui est une première atteinte à la théorie de toute la vérité.

La vie, en outre, est composée des choses les plus différentes, les plus imprévues, les plus contraires, les plus disparates; elle est brutale, sans suite, sans chaîne, pleine de catastrophes inexplicables, illogiques et contradictoires qui doivent être classées au chapitre *faits divers*.

Voilà pourquoi l'artiste, ayant choisi son thème, ne prendra dans cette vie encombrée de hasards et de futilités que

---

1. Cette citation est extraite de Boileau, *Art poétique* (III, v. 48), 1674.

les détails caractéristiques utiles à son sujet, et il rejettera tout le reste, tout l'à-côté.

Un exemple entre mille :

Le nombre des gens qui meurent chaque jour par accident est considérable sur la terre. Mais pouvons-nous faire tomber une tuile sur la tête d'un personnage principal, ou le jeter sous les roues d'une voiture [1], au milieu d'un récit, sous prétexte qu'il faut faire la part de l'accident ?

La vie encore laisse tout au même plan, précipite les faits ou les traîne indéfiniment. L'art, au contraire, consiste à user de précautions et de préparations, à ménager des transitions savantes et dissimulées, à mettre en pleine lumière, par la seule adresse de la composition, les événements essentiels et à donner à tous les autres le degré de relief qui leur convient, suivant leur importance, pour produire la sensation profonde de la vérité spéciale qu'on veut montrer.

Faire vrai consiste donc à donner l'illusion complète du vrai, suivant la logique ordinaire des faits, et non à les transcrire servilement dans le pêle-mêle de leur succession.

J'en conclus que les Réalistes de talent devraient s'appeler plutôt des Illusionnistes.

Quel enfantillage, d'ailleurs, de croire à la réalité puisque nous portons chacun la nôtre dans notre pensée et dans nos organes. Nos yeux, nos oreilles, notre odorat, notre goût différents créent autant de vérités qu'il y a d'hommes sur la terre. Et nos esprits qui reçoivent les instructions de ces organes, diversement impressionnés [2], comprennent, analysent et jugent comme si chacun de nous appartenait à une autre race.

---

1. Un personnage de Maupassant va être «jeté sous les roues d'une voiture» (lors du dénouement cependant) : Bertin dans *Fort comme la mort* (1889).

2. Affectés de manière à produire une sensation.

Chacun de nous se fait donc simplement une illusion du monde, illusion poétique, sentimentale, joyeuse, mélancolique, sale ou lugubre suivant sa nature. Et l'écrivain n'a d'autre mission que de reproduire fidèlement cette illusion avec tous les procédés d'art qu'il a appris et dont il peut disposer.

Illusion du beau qui est une convention humaine ! Illusion du laid qui est une opinion changeante ! Illusion du vrai jamais immuable ! Illusion de l'ignoble qui attire tant d'êtres ! Les grands artistes sont ceux qui imposent à l'humanité leur illusion particulière.

Ne nous fâchons donc contre aucune théorie puisque chacune d'elles est simplement l'expression généralisée d'un tempérament qui s'analyse.

Il en est deux surtout qu'on a souvent discutées en les opposant l'une à l'autre au lieu de les admettre l'une et l'autre ; celle du roman d'analyse pure et celle du roman objectif. Les partisans de l'analyse demandent que l'écrivain s'attache à indiquer les moindres évolutions d'un esprit et tous les mobiles les plus secrets qui déterminent nos actions, en n'accordant au fait lui-même qu'une importance très secondaire. Il est le point d'arrivée, une simple borne, le prétexte du roman. Il faudrait donc, d'après eux, écrire ces œuvres précises et rêvées où l'imagination se confond avec l'observation, à la manière d'un philosophe composant un livre de psychologie, exposer les causes en les prenant aux origines les plus lointaines, dire tous les pourquoi de tous les vouloirs et discerner toutes les réactions de l'âme agissant sous l'impulsion des intérêts, des passions ou des instincts.

Les partisans de l'objectivité (quel vilain mot !) prétendant, au contraire, nous donner la représentation exacte de ce qui a lieu dans la vie, évitent avec soin toute explication compliquée, toute dissertation sur les motifs, et se bornent à faire passer sous nos yeux les personnages et les événements.

Pour eux, la psychologie doit être cachée dans le livre comme elle est cachée en réalité sous les faits dans l'existence.

Le roman conçu de cette manière y gagne de l'intérêt, du mouvement dans le récit, de la couleur, de la vie remuante.

Donc, au lieu d'expliquer longuement l'état d'esprit d'un personnage, les écrivains objectifs cherchent l'action ou le geste que cet état d'âme doit faire accomplir fatalement à cet homme dans une situation déterminée. Et ils le font se conduire de telle manière, d'un bout à l'autre du volume, que tous ses actes, tous ses mouvements, soient le reflet de sa nature intime, de toutes ses pensées, de toutes ses volontés ou de toutes ses hésitations. Ils cachent donc la psychologie au lieu de l'étaler, ils en font la carcasse de l'œuvre, comme l'ossature invisible est la carcasse du corps humain. Le peintre qui fait notre portrait ne montre pas notre squelette.

Il me semble aussi que le roman exécuté de cette façon y gagne en sincérité. Il est d'abord plus vraisemblable, car les gens que nous voyons agir autour de nous ne nous racontent point les mobiles auxquels ils obéissent.

Il faut ensuite tenir compte de ce que, si, à force d'observer les hommes, nous pouvons déterminer leur nature assez exactement pour prévoir leur manière d'être dans presque toutes les circonstances, si nous pouvons dire avec précision : « Tel homme de tel tempérament, dans tel cas, fera ceci », il ne s'ensuit point que nous puissions déterminer, une à une, toutes les secrètes évolutions de sa pensée qui n'est pas la nôtre, toutes les mystérieuses sollicitations de ses instincts qui ne sont pas pareils aux nôtres, toutes les incitations confuses de sa nature dont les organes, les nerfs, le sang, la chair, sont différents des nôtres.

Quel que soit le génie d'un homme faible, doux, sans passions, aimant uniquement la science et le travail, jamais il ne pourra se transporter assez complètement dans l'âme et dans le corps d'un gaillard exubérant, sensuel, violent, soulevé par tous les désirs et même par tous les vices, pour comprendre et indiquer les impulsions et les sensations les plus intimes de cet être si différent, alors même qu'il peut fort bien prévoir et raconter tous les actes de sa vie.

En somme, celui qui fait de la psychologie pure ne peut que se substituer à tous ses personnages dans les différentes situations où il les place, car il lui est impossible de changer ses organes, qui sont les seuls intermédiaires entre la vie extérieure et nous, qui nous imposent leurs perceptions, déterminent notre sensibilité, créent en nous une âme essentiellement différente de toutes celles qui nous entourent. Notre vision, notre connaissance du monde acquise par le secours de nos sens, nos idées sur la vie, nous ne pouvons que les transporter en partie dans tous les personnages dont nous prétendons dévoiler l'être intime et inconnu. C'est donc toujours nous que nous montrons dans le corps d'un roi, d'un assassin, d'un voleur ou d'un honnête homme, d'une courtisane, d'une religieuse, d'une jeune fille ou d'une marchande aux halles, car nous sommes obligés de nous poser ainsi le problème : « Si *j'*étais roi, assassin, voleur, courtisane, religieuse, jeune fille ou marchande aux halles, qu'est-ce que *je* ferais, qu'est-ce que *je* penserais, comment est-ce que *j'*agirais ? » Nous ne diversifions donc nos personnages qu'en changeant l'âge, le sexe, la situation sociale et toutes les circonstances de la vie de notre *moi* que la nature a entouré d'une barrière d'organes infranchissable [1].

---

1. Gustave Flaubert va jusqu'à s'exclamer : « Madame Bovary, c'est moi ! »

L'adresse consiste à ne pas laisser reconnaître ce *moi* par le lecteur sous tous les masques divers qui nous servent à le cacher.

Mais si, au seul point de vue de la complète exactitude, la pure analyse psychologique est contestable, elle peut cependant nous donner des œuvres d'art aussi belles que toutes les autres méthodes de travail.

Voici, aujourd'hui, les symbolistes[1]. Pourquoi pas ? Leur rêve d'artistes est respectable ; et ils ont cela de particulièrement intéressant qu'ils savent et qu'ils proclament l'extrême difficulté de l'art.

Il faut être, en effet, bien fou, bien audacieux, bien outrecuidant ou bien sot, pour écrire encore aujourd'hui ! Après tant de maîtres aux natures si variées, au génie si multiple, que reste-t-il à faire qui n'ait été fait, que reste-t-il à dire qui n'ait été dit ? Qui peut se vanter, parmi nous, d'avoir écrit une page, une phrase qui ne se trouve déjà, à peu près pareille, quelque part. Quand nous lisons, nous, si saturés d'écriture française que notre corps entier nous donne l'impression d'être une pâte faite avec des mots, trouvons-nous jamais une ligne, une pensée qui ne nous soit familière, dont nous n'ayons eu, au moins, le confus pressentiment ?

L'homme qui cherche seulement à amuser son public par des moyens déjà connus, écrit avec confiance, dans la candeur de sa médiocrité, des œuvres destinées à la foule ignorante et désœuvrée. Mais ceux sur qui pèsent tous les siècles de la littérature passée, ceux que rien ne satisfait, que tout dégoûte parce qu'ils rêvent mieux, à qui tout semble défloré déjà, à qui leur œuvre donne toujours l'impression d'un travail inutile et commun, en arrivent à juger

---

1. Courant littéraire alors très récent et qui vient tout juste, en 1887, de s'essayer au roman. Le « manifeste » du symbolisme de Moréas date de 1886.

l'art littéraire une chose insaisissable, mystérieuse, que nous dévoilent à peine quelques pages des plus grands maîtres.

Vingt vers, vingt phrases, lus tout à coup nous font tressaillir jusqu'au cœur comme une révélation surprenante ; mais les vers suivants ressemblent à tous les vers, la prose qui coule ensuite ressemble à toutes les proses.

Les hommes de génie n'ont point, sans doute, ces angoisses et ces tourments, parce qu'ils portent en eux une force créatrice irrésistible. Ils ne se jugent pas eux-mêmes. Les autres, nous autres qui sommes simplement des travailleurs conscients et tenaces, nous ne pouvons lutter contre l'invincible découragement que par la continuité de l'effort.

Deux hommes par leurs enseignements simples et lumineux m'ont donné cette force de toujours tenter : Louis Bouilhet[1] et Gustave Flaubert.

Si je parle ici d'eux et de moi, c'est que leurs conseils, résumés en peu de lignes, seront peut-être utiles à quelques jeunes gens moins confiants en eux-mêmes qu'on ne l'est d'ordinaire quand on débute dans les lettres.

Bouilhet, que je connus le premier d'une façon un peu intime, deux ans environ avant de gagner l'amitié de Flaubert, à force de me répéter que cent vers, peut-être moins, suffisent à la réputation d'un artiste, s'ils sont irréprochables et s'ils contiennent l'essence du talent et de l'originalité d'un homme même de second ordre, me fit comprendre que le travail continuel et la connaissance profonde du métier peuvent, un jour de lucidité, de puissance et d'entraînement, par la rencontre heureuse d'un sujet concordant bien avec toutes les tendances de notre esprit, amener cette éclosion

---

1. Louis Bouilhet (1822-1869), auteur dramatique et poète, était un ami proche de Flaubert.

de l'œuvre courte, unique et aussi parfaite que nous la pouvons produire.

Je compris ensuite que les écrivains les plus connus n'ont presque jamais laissé plus d'un volume et qu'il faut, avant tout, avoir cette chance de trouver et de discerner, au milieu de la multitude des matières qui se présentent à notre choix, celle qui absorbera toutes nos facultés, toute notre valeur, toute notre puissance artiste.

Plus tard, Flaubert, que je voyais quelquefois, se prit d'affection pour moi. J'osai lui soumettre quelques essais. Il les lut avec bonté et me répondit : « Je ne sais pas si vous aurez du talent. Ce que vous m'avez apporté prouve une certaine intelligence, mais n'oubliez point ceci, jeune homme, que le talent — suivant le mot de Chateaubriand [1] — n'est qu'une longue patience. Travaillez. »

Je travaillai, et je revins souvent chez lui, comprenant que je lui plaisais, car il s'était mis à m'appeler, en riant, son disciple.

Pendant sept ans je fis des vers, je fis des contes, je fis des nouvelles, je fis même un drame détestable. Il n'en est rien resté. Le maître lisait tout, puis le dimanche suivant, en déjeunant, développait ses critiques et enfonçait en moi, peu à peu, deux ou trois principes qui sont le résumé de ses longs et patients enseignements. « Si on a une originalité, disait-il, il faut avant tout la dégager ; si on n'en a pas, il faut en acquérir une. »

— Le talent est une longue patience. — Il s'agit de regarder tout ce qu'on veut exprimer assez longtemps et avec assez d'attention pour en découvrir un aspect qui n'ait été vu et dit par personne. Il y a, dans tout, de l'inexploré, parce

---

1. Lapsus de Maupassant qui attribue à Chateaubriand (pour qui le talent était un don inné) un mot de Buffon (« Le génie n'est qu'une plus grande aptitude à la patience »).

que nous sommes habitués à ne nous servir de nos yeux qu'avec le souvenir de ce qu'on a pensé avant nous sur ce que nous contemplons. La moindre chose contient un peu d'inconnu. Trouvons-le. Pour décrire un feu qui flambe et un arbre dans une plaine, demeurons en face de ce feu et de cet arbre jusqu'à ce qu'ils ne ressemblent plus, pour nous, à aucun autre arbre et à aucun autre feu.

C'est de cette façon qu'on devient original.

Ayant, en outre, posé cette vérité qu'il n'y a pas, de par le monde entier, deux grains de sable, deux mouches, deux mains ou deux nez absolument pareils, il me forçait à exprimer, en quelques phrases, un être ou un objet de manière à le particulariser nettement, à le distinguer de tous les autres êtres ou de tous les autres objets de même race ou de même espèce.

« Quand vous passez, me disait-il, devant un épicier assis sur sa porte, devant un concierge qui fume sa pipe, devant une station de fiacres, montrez-moi cet épicier et ce concierge, leur pose, toute leur apparence physique contenant aussi, indiquée par l'adresse de l'image, toute leur nature morale, de façon à ce que je ne les confonde avec aucun autre épicier ou avec aucun autre concierge, et faites-moi voir, par un seul mot, en quoi un cheval de fiacre ne ressemble pas aux cinquante autres qui le suivent et le précèdent. »

J'ai développé ailleurs [1] ses idées sur le style. Elles ont de grands rapports avec la théorie de l'observation que je viens d'exposer.

Quelle que soit la chose qu'on veut dire, il n'y a qu'un mot pour l'exprimer, qu'un verbe pour l'animer et qu'un adjectif pour la qualifier. Il faut donc chercher, jusqu'à ce

---

1. Voir l'étude qui sert de préface aux *Lettres de Flaubert à George Sand* (Charpentier, 1884).

qu'on les ait découverts, ce mot, ce verbe et cet adjectif, et ne jamais se contenter de l'à-peu-près, ne jamais avoir recours à des supercheries, même heureuses, à des clowneries de langage pour éviter la difficulté.

On peut traduire et indiquer les choses les plus subtiles en appliquant ce vers de Boileau :

D'un mot mis en sa place enseigna le pouvoir[1].

Il n'est point besoin du vocabulaire bizarre, compliqué, nombreux et chinois qu'on nous impose aujourd'hui sous le nom d'écriture artiste, pour fixer toutes les nuances de la pensée ; mais il faut discerner avec une extrême lucidité toutes les modifications de la valeur d'un mot suivant la place qu'il occupe. Ayons moins de noms, de verbes et d'adjectifs aux sens presque insaisissables, mais plus de phrases différentes, diversement construites, ingénieusement coupées, pleines de sonorités et de rythmes savants. Efforçons-nous d'être des stylistes excellents plutôt que des collectionneurs de termes rares[2].

Il est, en effet, plus difficile de manier la phrase à son gré, de lui faire tout dire, même ce qu'elle n'exprime pas, de l'emplir de sous-entendus, d'intentions secrètes et non formulées, que d'inventer des expressions nouvelles ou de rechercher, au fond de vieux livres inconnus, toutes celles dont nous avons perdu l'usage et la signification, et qui sont pour nous comme des verbes morts.

La langue française, d'ailleurs, est une eau pure que les

---

1. À nouveau Boileau, *Art poétique* (I, v. 133).
2. Ces « collectionneurs de termes rares » à l'« écriture artiste » seraient les frères Goncourt, Edmond (1822-1896) et Jules (1830-1870), tous deux écrivains, et leurs disciples. En tout cas, Edmond de Goncourt lui répond de façon virulente dans son *Journal* (9 janvier 1888).

écrivains maniérés n'ont jamais pu et ne pourront jamais troubler. Chaque siècle a jeté dans ce courant limpide ses modes, ses archaïsmes prétentieux et ses préciosités, sans que rien surnage de ces tentatives inutiles, de ces efforts impuissants. La nature de cette langue est d'être claire, logique et nerveuse. Elle ne se laisse pas affaiblir, obscurcir ou corrompre.

Ceux qui font aujourd'hui des images, sans prendre garde aux termes abstraits, ceux qui font tomber la grêle ou la pluie sur la *propreté* des vitres, peuvent aussi jeter des pierres à la simplicité de leurs confrères ! Elles frapperont peut-être les confrères qui ont un corps, mais n'atteindront jamais la simplicité qui n'en a pas.

Guy de Maupassant.

La Guillette, Étretat, septembre 1887.

Zut[2]! s'écria tout à coup le père Roland, qui depuis un quart d'heure demeurait immobile, les yeux fixés sur l'eau, et soulevant par moments, d'un mouvement très léger, sa ligne descendue au fond de la mer.

Mme Roland, assoupie à l'arrière du bateau, à côté de Mme Rosémilly invitée à cette partie de pêche, se réveilla, et tournant la tête vers son mari :

— Eh bien!... eh bien!... Gérôme!

Le bonhomme, furieux, répondit :

— Ça ne mord plus du tout. Depuis midi je n'ai rien pris. On ne devrait jamais pêcher qu'entre hommes; les femmes vous font embarquer toujours trop tard.

Ses deux fils, Pierre et Jean, qui tenaient, l'un à bâbord, l'autre à tribord, chacun une ligne enroulée à l'index, se mirent à rire en même temps et Jean répondit :

— Tu n'es pas galant pour notre invitée, papa.

M. Roland fut confus et s'excusa :

---

1. *Pierre et Jean* a d'abord paru dans *La Nouvelle Revue* en décembre 1887 et janvier 1888, et l'édition originale a été mise en vente le 9 janvier 1888.

2. Le terme avait déjà été utilisé par Balzac et Rimbaud. Maupassant lui-même l'avait repris comme titre d'une chronique. Le mot de « zutisme » était également à la mode.

— Je vous demande pardon, Mme Rosémilly, je suis comme ça. J'invite des dames parce que j'aime me trouver avec elles, et puis, dès que je sens de l'eau sous moi, je ne pense plus qu'au poisson.

Mme Roland s'était tout à fait réveillée et regardait d'un air attendri le large horizon de falaises et de mer. Elle murmura :

— Vous avez cependant fait une belle pêche.

Mais son mari remuait la tête pour dire non, tout en jetant un coup d'œil bienveillant sur le panier où le poisson capturé par les trois hommes palpitait vaguement encore, avec un bruit doux d'écailles gluantes et de nageoires soulevées, d'efforts impuissants et mous, et de bâillements dans l'air mortel.

Le père Roland saisit la manne ¹ entre ses genoux, la pencha, fit couler jusqu'au bord le flot d'argent des bêtes pour voir celles du fond, et leur palpitation d'agonie s'accentua, et l'odeur forte de leur corps, une saine puanteur de marée, monta du ventre plein de la corbeille.

Le vieux pêcheur la huma vivement, comme on sent des roses, et déclara :

— Cristi ! ils sont frais, ceux-là !

Puis il continua :

— Combien en as-tu pris, toi, docteur ?

Son fils aîné, Pierre, un homme de trente ans à favoris noirs coupés comme ceux des magistrats, moustaches et menton rasés, répondit :

— Oh ! pas grand'chose, trois ou quatre.

Le père se tourna vers le cadet :

— Et toi, Jean ?

Jean, un grand garçon blond, très barbu, beaucoup plus jeune que son frère, sourit et murmura :

---

1. Panier d'osier.

— À peu près comme Pierre, quatre ou cinq.

Ils faisaient, chaque fois, le même mensonge qui ravissait le père Roland.

Il avait enroulé son fil au tolet[1] d'un aviron, et croisant ses bras il annonça :

— Je n'essayerai plus jamais de pêcher l'après-midi. Une fois dix heures passées, c'est fini. Il ne mord plus, le gredin, il fait la sieste au soleil.

Le bonhomme regardait la mer autour de lui avec un air satisfait de propriétaire.

C'était un ancien bijoutier parisien qu'un amour immodéré de la navigation et de la pêche avait arraché au comptoir dès qu'il eut assez d'aisance pour vivre modestement de ses rentes.

Il se retira donc au Havre, acheta une barque et devint matelot amateur. Ses deux fils, Pierre et Jean, restèrent à Paris pour continuer leurs études et vinrent en congé de temps en temps partager les plaisirs de leur père.

À la sortie du collège[2], l'aîné, Pierre, de cinq ans plus âgé que Jean, s'étant senti successivement de la vocation pour des professions variées, en avait essayé, l'une après l'autre, une demi-douzaine, et, vite dégoûté de chacune, se lançait aussitôt dans de nouvelles espérances.

En dernier lieu la médecine l'avait tenté, et il s'était mis au travail avec tant d'ardeur qu'il venait d'être reçu docteur après d'assez courtes études et des dispenses de temps obtenues du ministre. Il était exalté, intelligent, changeant et tenace, plein d'utopies et d'idées philosophiques.

Jean, aussi blond que son frère était noir, aussi calme que son frère était emporté, aussi doux que son frère était rancunier, avait fait tranquillement son droit et venait d'obte-

---

1. Cheville de bois ou de fer qui sert de point d'appui à un aviron.
2. Ici, établissement d'enseignement supérieur.

nir son diplôme de licencié en même temps que Pierre obte-
nait celui de docteur.

Tous les deux prenaient donc un peu de repos dans leur
famille, et tous les deux formaient le projet de s'établir au
Havre s'ils parvenaient à le faire dans des conditions satis-
faisantes.

Mais une vague jalousie, une de ces jalousies dormantes
qui grandissent presque invisibles entre frères ou entre sœurs
jusqu'à la maturité et qui éclatent à l'occasion d'un mariage
ou d'un bonheur tombant sur l'un, les tenait en éveil dans
une fraternelle et inoffensive inimitié. Certes ils s'aimaient,
mais ils s'épiaient. Pierre, âgé de cinq ans à la naissance de
Jean, avait regardé avec une hostilité de petite bête gâtée
cette autre petite bête apparue tout à coup dans les bras de
son père et de sa mère, et tant aimée, tant caressée par eux.

Jean, dès son enfance, avait été un modèle de douceur,
de bonté et de caractère égal; et Pierre s'était énervé, peu
à peu, à entendre vanter sans cesse ce gros garçon dont la
douceur lui semblait être de la mollesse, la bonté de la niai-
serie et la bienveillance de l'aveuglement. Ses parents, gens
placides, qui rêvaient pour leurs fils des situations hono-
rables et médiocres, lui reprochaient ses indécisions, ses
enthousiasmes, ses tentatives avortées, tous ses élans
impuissants vers des idées généreuses et vers des professions décoratives.

Depuis qu'il était homme, on ne lui disait plus : «Regarde
Jean et imite-le !» mais chaque fois qu'il entendait répéter :
«Jean a fait ceci, Jean a fait cela,» il comprenait bien le sens
et l'allusion cachés sous ces paroles.

Leur mère, une femme d'ordre, une économe bourgeoise
un peu sentimentale, douée d'une âme tendre de caissière,
apaisait sans cesse les petites rivalités nées chaque jour
entre ses deux grands fils, de tous les menus faits de la vie
commune. Un léger événement, d'ailleurs, troublait en ce

moment sa quiétude, et elle craignait une complication, car elle avait fait la connaissance pendant l'hiver, pendant que ses enfants achevaient l'un et l'autre leurs études spéciales, d'une voisine, Mme Rosémilly, veuve d'un capitaine au long cours, mort à la mer deux ans auparavant. La jeune veuve, toute jeune, vingt-trois ans, une maîtresse femme [1] qui connaissait l'existence d'instinct, comme un animal libre, comme si elle eût vu, subi, compris et pesé tous les événements possibles, qu'elle jugeait avec un esprit sain, étroit et bienveillant, avait pris l'habitude de venir faire un bout de tapisserie et de causette, le soir, chez ces voisins aimables qui lui offraient une tasse de thé.

Le père Roland, que sa manie de pose marine [2] aiguillonnait sans cesse, interrogeait leur nouvelle amie sur le défunt capitaine, et elle parlait de lui, de ses voyages, de ses anciens récits, sans embarras, en femme raisonnable et résignée qui aime la vie et respecte la mort.

Les deux fils, à leur retour, trouvant cette jolie veuve installée dans la maison, avaient aussitôt commencé à la courtiser, moins par désir de lui plaire que par envie de se supplanter.

Leur mère, prudente et pratique, espérait vivement qu'un des deux triompherait, car la jeune femme était riche, mais elle aurait aussi bien voulu que l'autre n'en eût point de chagrin.

Mme Rosémilly était blonde avec des yeux bleus, une couronne de cheveux follets envolés à la moindre brise et un petit air crâne, hardi, batailleur, qui ne concordait point du tout avec la sage méthode de son esprit.

Déjà elle semblait préférer Jean, portée vers lui par une similitude de nature. Cette préférence d'ailleurs ne se mon-

---

1. Femme dynamique et indépendante.
2. Le père se donne des attitudes de marin.

trait que par une presque insensible différence dans la voix et le regard, et en ceci encore qu'elle prenait quelquefois son avis.

Elle semblait deviner que l'opinion de Jean fortifierait la sienne propre, tandis que l'opinion de Pierre devait fatalement être différente. Quand elle parlait des idées du docteur, de ses idées politiques, artistiques, philosophiques, morales, elle disait par moments : « Vos billevesées [1]. » Alors, il la regardait d'un regard froid de magistrat qui instruit le procès des femmes, de toutes les femmes, ces pauvres êtres.

Jamais, avant le retour de ses fils, le père Roland ne l'avait invitée à ses parties de pêche où il n'emmenait jamais non plus sa femme, car il aimait s'embarquer avant le jour, avec le capitaine Beausire, un long-courrier [2] retraité, rencontré aux heures de marée sur le port et devenu intime ami, et le vieux matelot Papagris, surnommé Jean-Bart, chargé de la garde du bateau.

Or, un soir de la semaine précédente, comme Mme Rosémilly qui avait dîné chez lui disait : « Ça doit être très amusant, la pêche ? » l'ancien bijoutier, flatté dans sa passion, et saisi de l'envie de la communiquer, de faire des croyants à la façon des prêtres, s'écria :

— Voulez-vous y venir ?

— Mais oui.

— Mardi prochain ?

— Oui, mardi prochain.

— Êtes-vous femme à partir à cinq heures du matin ?

Elle poussa un cri de stupeur :

— Ah ! mais non, par exemple.

---

1. Sottises.
2. Qui fait de longs voyages (en bateau, ici).

Il fut désappointé, refroidi, et il douta tout à coup de cette vocation.

Il demanda cependant :

— À quelle heure pourriez-vous partir ?

— Mais… à neuf heures !

— Pas avant ?

— Non, pas avant, c'est déjà très tôt !

Le bonhomme hésitait. Assurément on ne prendrait rien, car si le soleil chauffe, le poisson ne mord plus, mais les deux frères s'étaient empressés d'arranger la partie, de tout organiser et de tout régler séance tenante.

Donc, le mardi suivant, la *Perle* avait été jeter l'ancre sous les rochers blancs du cap de la Hève[1] ; et on avait pêché jusqu'à midi, puis sommeillé, puis repêché, sans rien prendre, et le père Roland, comprenant un peu tard que Mme Rosémilly n'aimait et n'appréciait en vérité que la promenade en mer, et voyant que ses lignes ne tressaillaient plus, avait jeté, dans un mouvement d'impatience irraisonnée, un *zut* énergique qui s'adressait autant à la veuve indifférente qu'aux bêtes insaisissables.

Maintenant il regardait le poisson capturé, son poisson, avec une joie vibrante d'avare ; puis il leva les yeux vers le ciel, remarqua que le soleil baissait :

— Eh bien ! les enfants, dit-il, si nous revenions un peu ?

Tous deux tirèrent leurs fils, les roulèrent, accrochèrent dans les bouchons de liège les hameçons nettoyés et attendirent.

Roland s'était levé pour interroger l'horizon à la façon d'un capitaine :

— Plus de vent, dit-il, on va ramer, les gars !

Et soudain, le bras allongé vers le nord, il ajouta :

---

1. Le cap de la Hève se trouve au nord de l'estuaire du Havre, en Haute-Normandie.

— Tiens, tiens, le bateau de Southampton.

Sur la mer plate, tendue comme une étoffe bleue, immense, luisante, aux reflets d'or et de feu, s'élevait là-bas, dans la direction indiquée, un nuage noirâtre sur le ciel rose. Et on apercevait, au-dessous, le navire qui semblait tout petit de si loin.

Vers le sud on voyait encore d'autres fumées, nombreuses, venant toutes vers la jetée du Havre dont on distinguait à peine la ligne blanche et le phare, droit comme une corne sur le bout.

Roland demanda :

— N'est-ce pas aujourd'hui que doit entrer la *Normandie*[1] ?

Jean répondit :

— Oui, papa.

— Donne-moi ma longue-vue, je crois que c'est elle, là-bas.

Le père déploya le tube de cuivre, l'ajusta contre son œil, chercha le point, et soudain, ravi d'avoir vu :

— Oui, oui, c'est elle, je reconnais ses deux cheminées. Voulez-vous regarder, madame Rosémilly ?

Elle prit l'objet qu'elle dirigea vers le transatlantique lointain, sans parvenir sans doute à le mettre en face de lui, car elle ne distinguait rien, rien que du bleu, avec un cercle de couleur, un arc-en-ciel tout rond, et puis des choses bizarres, des espèces d'éclipses, qui lui faisaient tourner le cœur.

Elle dit en rendant la longue-vue :

— D'ailleurs je n'ai jamais su me servir de cet instrument-là. Ça mettait même en colère mon mari qui restait des heures à la fenêtre à regarder passer les navires.

Le père Roland, vexé, reprit :

---

1. Ce navire a existé, il appartenait à la Compagnie générale transatlantique.

— Ça doit tenir à un défaut de votre œil, car ma lunette est excellente.

Puis il l'offrit à sa femme :

— Veux-tu voir ?

— Non, merci, je sais d'avance que je ne pourrais pas.

Mme Roland, une femme de quarante-huit ans et qui ne les portait pas, semblait jouir, plus que tout le monde, de cette promenade et de cette fin de jour.

Ses cheveux châtains commençaient seulement à blanchir. Elle avait un air calme et raisonnable, un air heureux et bon qui plaisait à voir. Selon le mot de son fils Pierre, elle savait le prix de l'argent, ce qui ne l'empêchait point de goûter le charme du rêve. Elle aimait les lectures, les romans et les poésies, non pour leur valeur d'art, mais pour la songerie mélancolique et tendre qu'ils éveillaient en elle. Un vers, souvent banal, souvent mauvais, faisait vibrer la petite corde, comme elle disait, lui donnait la sensation d'un désir mystérieux presque réalisé. Et elle se complaisait à ces émotions légères qui troublaient un peu son âme bien tenue comme un livre de comptes.

Elle prenait, depuis son arrivée au Havre, un embonpoint assez visible qui alourdissait sa taille autrefois très souple et très mince.

Cette sortie en mer l'avait ravie. Son mari, sans être méchant, la rudoyait comme rudoient sans colère et sans haine les despotes [1] en boutique pour qui commander équivaut à jurer. Devant tout étranger il se tenait, mais dans sa famille il s'abandonnait et se donnait des airs terribles, bien qu'il eût peur de tout le monde. Elle, par horreur du bruit, des scènes, des explications inutiles, cédait toujours et ne demandait jamais rien ; aussi n'osait-elle plus, depuis bien longtemps, prier Roland de la promener en mer. Elle avait

---

1. Tyrans.

donc saisi avec joie cette occasion, et elle savourait ce plaisir rare et nouveau.

Depuis le départ elle s'abandonnait tout entière, tout son esprit et toute sa chair, à ce doux glissement sur l'eau. Elle ne pensait point, elle ne vagabondait ni dans les souvenirs ni dans les espérances, il lui semblait que son cœur flottait comme son corps sur quelque chose de moelleux, de fluide, de délicieux, qui la berçait et l'engourdissait.

Quand le père commanda le retour : «Allons, en place pour la nage[1]!» elle sourit en voyant ses fils, ses deux grands fils, ôter leurs jaquettes et relever sur leurs bras nus les manches de leur chemise.

Pierre, le plus rapproché des deux femmes, prit l'aviron de tribord, Jean l'aviron de bâbord, et ils attendirent que le patron criât : «Avant partout!» car il tenait à ce que les manœuvres fussent exécutées régulièrement.

Ensemble, d'un même effort, ils laissèrent tomber les rames puis se couchèrent en arrière en tirant de toutes leurs forces; et une lutte commença pour montrer leur vigueur. Ils étaient venus à la voile tout doucement, mais la brise était tombée et l'orgueil de mâles des deux frères s'éveilla tout à coup à la perspective de se mesurer l'un contre l'autre.

Quand ils allaient pêcher seuls avec le père, ils ramaient ainsi sans que personne gouvernât, car Roland préparait les lignes tout en surveillant la marche de l'embarcation, qu'il dirigeait d'un geste ou d'un mot : «Jean, mollis.» — «À toi, Pierre, souque[2].» Ou bien il disait : «Allons le *un*, allons le *deux*, un peu d'huile de bras[3].» Celui qui rêvassait tirait plus fort, celui qui s'emballait devenait moins ardent, et le bateau se redressait.

---

1. Ici, action de ramer.
2. Ramer vigoureusement.
3. Énergie.

Aujourd'hui ils allaient montrer leurs biceps. Les bras de Pierre étaient velus, un peu maigres, mais nerveux; ceux de Jean gras et blancs, un peu roses, avec une bosse de muscles qui roulait sous la peau.

Pierre eut d'abord l'avantage. Les dents serrées, le front plissé, les jambes tendues, les mains crispées sur l'aviron, il le faisait plier dans toute sa longueur à chacun de ses efforts; et la *Perle* s'en venait vers la côte. Le père Roland, assis à l'avant afin de laisser tout le banc d'arrière aux deux femmes, s'époumonait à commander : « Doucement, le *un* — souque le *deux*. » Le *un* redoublait de rage et le *deux* ne pouvait répondre à cette nage désordonnée.

Le patron, enfin, ordonna : « Stop ! » Les deux rames se levèrent ensemble, et Jean, sur l'ordre de son père, tira seul quelques instants. Mais à partir de ce moment l'avantage lui resta; il s'animait, s'échauffait, tandis que Pierre, essoufflé, épuisé par sa crise de vigueur, faiblissait et haletait. Quatre fois de suite, le père Roland fit stopper pour permettre à l'aîné de reprendre haleine et de redresser la barque dérivant. Le docteur alors, le front en sueur, les joues pâles, humilié et rageur, balbutiait :

— Je ne sais pas ce qui me prend, j'ai un spasme [1] au cœur. J'étais très bien parti et cela m'a coupé les bras.

Jean demandait :

— Veux-tu que je tire seul avec les avirons de couple ?

— Non, merci, cela passera.

La mère, ennuyée, disait :

— Voyons, Pierre, à quoi cela rime-t-il de se mettre dans un état pareil, tu n'es pourtant pas un enfant.

Il haussait les épaules et recommençait à ramer.

Mme Rosémilly semblait ne pas voir, ne pas comprendre, ne pas entendre. Sa petite tête blonde, à chaque mouve-

---

1. Contraction involontaire d'un muscle.

ment du bateau, faisait en arrière un mouvement brusque
et joli qui soulevait sur les tempes ses fins cheveux.

Mais le père Roland cria : « Tenez, voici le *Prince-Albert* [1],
qui nous rattrape. » Et tout le monde regarda. Long, bas,
avec ses deux cheminées inclinées en arrière et ses deux
tambours jaunes, ronds comme des joues, le bateau de
Southampton arrivait à toute vapeur, chargé de passagers
et d'ombrelles ouvertes. Ses roues rapides, bruyantes, battant l'eau qui retombait en écume, lui donnaient un air de
hâte, un air de courrier [2] pressé ; et l'avant tout droit cou-
pait la mer en soulevant deux lames minces et transparentes
qui glissaient le long des bords.

Quand il fut tout près de la *Perle*, le père Roland leva son
chapeau, les deux femmes agitèrent leurs mouchoirs, et une
demi-douzaine d'ombrelles répondirent à ces saluts en se
balançant vivement sur le paquebot qui s'éloigna, laissant
derrière lui, sur la surface paisible et luisante de la mer,
quelques lentes ondulations.

Et on voyait d'autres navires, coiffés aussi de fumée,
accourant de tous les points de l'horizon vers la jetée
courte et blanche qui les avalait comme une bouche, l'un
après l'autre. Et les barques de pêche et les grands voiliers
aux mâtures légères glissant sur le ciel, traînés par d'imperceptibles remorqueurs, arrivaient tous, vite ou lentement, vers cet ogre dévorant, qui, de temps en temps,
semblait repu, et rejetait vers la pleine mer une autre flotte
de paquebots, de bricks [3], de goélettes [4], de trois-mâts char-

---

1. Ce bateau porte le nom du mari de la reine Victoria, mort en
1861. Il appartient à la Compagnie Cunard.
2. Bateau transportant les lettres, les dépêches, les journaux…
3. Voiliers à deux mâts gréés à voiles carrées.
4. Bâtiments légers à deux mâts et à voiles triangulaires ou trapé-
zoïdales.

gés de ramures emmêlées. Les steamers[1] hâtifs s'enfuyaient à droite, à gauche, sur le ventre plat de l'Océan tandis que les bâtiments à voile, abandonnés par les mouches[2] qui les avaient halés, demeuraient immobiles, tout en s'habillant de la grande hune au petit perroquet[3], de toile blanche ou de toile brune qui semblait rouge au soleil couchant.

Mme Roland, les yeux mi-clos, murmura :

— Dieu ! que c'est beau cette mer !

Mme Rosémilly répondit, avec un soupir prolongé, qui n'avait cependant rien de triste :

— Oui, mais elle fait bien du mal quelquefois.

Roland s'écria :

— Tenez, voici la *Normandie* qui se présente à l'entrée. Est-elle grande, hein ?

Puis il expliqua la côte en face, là-bas, là-bas, de l'autre côté de l'embouchure de la Seine — vingt kilomètres, cette embouchure — disait-il. Il montra Villerville, Trouville, Houlgate, Luc, Arromanches, la rivière de Caen, et les roches du Calvados qui rendent la navigation dangereuse jusqu'à Cherbourg[4]. Puis il traita la question des bancs de sable de la Seine, qui se déplacent à chaque marée et mettent en défaut les pilotes de Quillebœuf eux-mêmes, s'ils ne font pas tous les jours le parcours du chenal. Il fit remarquer comment le Havre séparait la basse de la haute Normandie. En basse Normandie, la côte plate descendait en pâturages, en prairies et en champs jusqu'à la mer. Le rivage de la haute Normandie, au contraire, était droit, une grande falaise, découpée, dentelée, superbe, faisant jusqu'à Dunkerque une immense muraille blanche dont toutes les

---

1. Bateaux à vapeur.
2. Remorqueurs.
3. Parties du grand mât.
4. Communes de Basse-Normandie. La « rivière de Caen » est l'Orne.

échancrures cachaient un village ou un port : Étretat, Fécamp, Saint-Valery, le Tréport, Dieppe, etc. [1].

Les deux femmes ne l'écoutaient point, engourdies par le bien-être, émues par la vue de cet Océan couvert de navires qui couraient comme des bêtes autour de leur tanière ; et elles se taisaient, un peu écrasées par ce vaste horizon d'air et d'eau, rendues silencieuses par ce coucher de soleil apaisant et magnifique. Seul, Roland parlait sans fin ; il était de ceux que rien ne trouble. Les femmes, plus nerveuses, sentent parfois, sans comprendre pourquoi, que le bruit d'une voix inutile est irritant comme une grossièreté.

Pierre et Jean, calmés, ramaient avec lenteur ; et la *Perle* s'en allait vers le port, toute petite à côté des gros navires.

Quand elle toucha le quai, le matelot Papagris qui l'attendait, prit la main des dames pour les faire descendre ; et on pénétra dans la ville. Une foule nombreuse, tranquille, la foule qui va chaque jour aux jetées à l'heure de la pleine mer, rentrait aussi.

Mmes Roland et Rosémilly marchaient devant, suivies des trois hommes. En montant la rue de Paris [2] elles s'arrêtaient parfois devant un magasin de modes ou d'orfèvrerie pour contempler un chapeau ou bien un bijou ; puis elles repartaient après avoir échangé leurs idées.

Devant la place de la Bourse, Roland contempla, comme il faisait chaque jour, le bassin du Commerce plein de navires, prolongé par d'autres bassins, où les grosses coques, ventre à ventre, se touchaient sur quatre ou cinq rangs. Tous les mâts innombrables, sur une étendue de plusieurs kilomètres de quais, tous les mâts avec les vergues, les flèches, les cor-

---

1. Communes de Haute-Normandie (la région de Maupassant). La description ne respecte pas l'ordre géographique.
2. Maupassant s'est rendu au Havre pour repérer les lieux. Le décor est fidèle.

dages, donnaient à cette ouverture au milieu de la ville l'aspect d'un grand bois mort. Au-dessus de cette forêt sans feuilles, les goélands tournoyaient, épiant pour s'abattre, comme une pierre qui tombe, tous les débris jetés à l'eau ; et un mousse, qui rattachait une poulie à l'extrémité d'un cacatois [1], semblait monté là pour chercher des nids.

— Voulez-vous dîner avec nous sans cérémonie aucune, afin de finir ensemble la journée ? demanda Mme Roland à Mme Rosémilly.

— Mais oui, avec plaisir ; j'accepte aussi sans cérémonie. Ce serait triste de rentrer toute seule ce soir.

Pierre, qui avait entendu et que l'indifférence de la jeune femme commençait à froisser, murmura : « Bon, voici la veuve qui s'incruste, maintenant. » Depuis quelques jours il l'appelait « la veuve ». Ce mot, sans rien exprimer, agaçait Jean rien que par l'intonation, qui lui paraissait méchante et blessante.

Et les trois hommes ne prononcèrent plus un mot jusqu'au seuil de leur logis. C'était une maison étroite, composée d'un rez-de-chaussée et de deux petits étages, rue Belle-Normande [2]. La bonne, Joséphine, une fillette de dix-neuf ans, servante campagnarde à bon marché, qui possédait à l'excès l'air étonné et bestial des paysans, vint ouvrir, referma la porte, monta derrière ses maîtres jusqu'au salon qui était au premier, puis elle dit :

— Il est v'nu un m'sieu trois fois.

Le père Roland, qui ne lui parlait pas sans hurler et sans sacrer [3], cria :

— Qui ça est venu, nom d'un chien ?

Elle ne se troublait jamais des éclats de voix de son maître, et elle reprit :

---

1. Petite voile carrée.
2. Seule rue, qui, semble-t-il, n'existait pas.
3. Jurer (dire des jurons).

— Un m'sieu d'chez l'notaire.

— Quel notaire?

— D'chez m'sieu Canu, donc.

— Et qu'est-ce qu'il a dit ce monsieur?

— Qu'm'sieu Canu y viendrait en personne dans la soirée.

Me Lecanu était le notaire et un peu l'ami du père Roland, dont il faisait les affaires. Pour qu'il eût annoncé sa visite dans la soirée, il fallait qu'il s'agît d'une chose urgente et importante; et les quatre Roland se regardèrent, troublés par cette nouvelle comme le sont les gens de fortune modeste à toute intervention d'un notaire, qui éveille une foule d'idées de contrats, d'héritages, de procès, de choses désirables ou redoutables. Le père, après quelques secondes de silence, murmura :

— Qu'est-ce que cela peut vouloir dire?

Mme Rosémilly se mit à rire :

— Allez, c'est un héritage. J'en suis sûre. Je porte bonheur.

Mais ils n'espéraient la mort de personne qui pût leur laisser quelque chose.

Mme Roland, douée d'une excellente mémoire pour les parentés, se mit aussitôt à rechercher toutes les alliances du côté de son mari et du sien, à remonter les filiations, à suivre les branches des cousinages.

Elle demandait, sans avoir même ôté son chapeau :

— Dis donc, père (elle appelait son mari «père» dans la maison, et quelquefois «monsieur Roland» devant les étrangers), dis donc, père, te rappelles-tu qui a épousé Joseph Lebru, en secondes noces?

— Oui, une petite Duménil, la fille d'un papetier.

— En a-t-il eu des enfants?

— Je crois bien, quatre ou cinq, au moins.

— Non. Alors il n'y a rien par là.

Déjà elle s'animait à cette recherche, elle s'attachait à cette espérance d'un peu d'aisance leur tombant du ciel. Mais Pierre, qui aimait beaucoup sa mère, qui la savait un peu rêveuse, et qui craignait une désillusion, un petit chagrin, une petite tristesse, si la nouvelle, au lieu d'être bonne, était mauvaise, l'arrêta.

— Ne t'emballe pas, maman, il n'y a plus d'oncle d'Amérique ! Moi, je croirais bien plutôt qu'il s'agit d'un mariage pour Jean.

Tout le monde fut surpris à cette idée, et Jean demeura un peu froissé que son frère eût parlé de cela devant Mme Rosémilly.

— Pourquoi pour moi plutôt que pour toi ? La supposition est très contestable. Tu es l'aîné ; c'est donc à toi qu'on aurait songé d'abord. Et puis, moi, je ne veux pas me marier.

Pierre ricana :

— Tu es donc amoureux ?

L'autre, mécontent, répondit :

— Est-il nécessaire d'être amoureux pour dire qu'on ne veut pas encore se marier ?

— Ah ! bon, le « encore » corrige tout ; tu attends.

— Admets que j'attends, si tu veux.

Mais le père Roland, qui avait écouté et réfléchi, trouva tout à coup la solution la plus vraisemblable.

— Parbleu ! nous sommes bien bêtes de nous creuser la tête. Me Lecanu est notre ami, il sait que Pierre cherche un cabinet de médecin, et Jean un cabinet d'avocat, il a trouvé à caser l'un de vous deux.

C'était tellement simple et probable que tout le monde en fut d'accord.

— C'est servi, dit la bonne.

Et chacun gagna sa chambre afin de se laver les mains avant de se mettre à table.

Dix minutes plus tard, ils dînaient dans la petite salle à manger, au rez-de-chaussée.

On ne parla guère tout d'abord; mais, au bout de quelques instants, Roland s'étonna de nouveau de cette visite du notaire.

— En somme, pourquoi n'a-t-il pas écrit, pourquoi a-t-il envoyé trois fois son clerc, pourquoi vient-il lui-même ?

Pierre trouvait cela naturel.

— Il faut sans doute une réponse immédiate; et il a peut-être à nous communiquer des clauses confidentielles qu'on n'aime pas beaucoup écrire.

Mais ils demeuraient préoccupés et un peu ennuyés tous les quatre d'avoir invité cette étrangère qui gênerait leur discussion et les résolutions à prendre.

Ils venaient de remonter au salon quand le notaire fut annoncé.

Roland s'élança.

— Bonjour, cher maître.

Il donnait comme titre à M. Lecanu le «maître» qui précède le nom de tous les notaires.

Mme Rosémilly se leva :

— Je m'en vais, je suis très fatiguée.

On tenta faiblement de la retenir; mais elle n'y consentit point et elle s'en alla sans qu'un des trois hommes la reconduisît, comme on le faisait toujours.

Mme Roland s'empressa près du nouveau venu :

— Une tasse de café, Monsieur !

— Non, merci, je sors de table.

— Une tasse de thé, alors ?

— Je ne dis pas non, mais un peu plus tard, nous allons d'abord parler affaires.

Dans le profond silence qui suivit ces mots on n'entendit plus que le mouvement rythmé de la pendule, et à l'étage au-dessous, le bruit des casseroles lavées par la bonne trop bête pour écouter aux portes.

Le notaire reprit :

— Avez-vous connu à Paris un certain M. Maréchal, Léon Maréchal ?

M. et Mme Roland poussèrent la même exclamation : « Je crois bien ! »

— C'était un de vos amis ?

Roland déclara :

— Le meilleur, Monsieur, mais un Parisien enragé ; il ne quitte pas le boulevard. Il est chef de bureau aux finances [1]. Je ne l'ai plus revu depuis mon départ de la capitale. Et puis nous avons cessé de nous écrire. Vous savez, quand on vit loin l'un de l'autre…

Le notaire reprit gravement :

— M. Maréchal est décédé !

L'homme et la femme eurent ensemble ce petit mouvement de surprise triste, feint ou vrai, mais toujours prompt, dont on accueille ces nouvelles.

M. Lecanu continua :

— Mon confrère de Paris vient de me communiquer la principale disposition de son testament par laquelle il institue votre fils Jean, M. Jean Roland, son légataire universel [2].

L'étonnement fut si grand qu'on ne trouvait pas un mot à dire.

Mme Roland, la première, dominant son émotion, balbutia :

— Mon Dieu, ce pauvre Léon… notre pauvre ami… mon Dieu… mon Dieu… mort !…

Des larmes apparurent dans ses yeux, ces larmes silencieuses des femmes, gouttes de chagrin venues de l'âme qui

---

1. Ministère des Finances. Maupassant a lui-même travaillé dans des ministères (Marine et Instruction publique).
2. Celui qui hérite de tous les biens.

coulent sur les joues et semblent si douloureuses, étant si claires.

Mais Roland songeait moins à la tristesse de cette perte qu'à l'espérance annoncée. Il n'osait cependant interroger tout de suite sur les clauses de ce testament, et sur le chiffre de la fortune ; et il demanda, pour arriver à la question intéressante :

— De quoi est-il mort, ce pauvre Maréchal ?

M. Lecanu l'ignorait parfaitement.

— Je sais seulement, disait-il, que, décédé sans héritiers directs, il laisse toute sa fortune, une vingtaine de mille francs de rentes en obligations trois pour cent[1], à votre second fils, qu'il a vu naître, grandir, et qu'il juge digne de ce legs. À défaut d'acceptation de la part de M. Jean, l'héritage irait aux enfants abandonnés.

Le père Roland déjà ne pouvait plus dissimuler sa joie et il s'écria :

— Sacristi ! voilà une bonne pensée du cœur. Moi, si je n'avais pas eu de descendant, je ne l'aurais certainement point oublié non plus, ce brave ami !

Le notaire souriait :

— J'ai été bien aise, dit-il, de vous annoncer moi-même la chose. Ça fait toujours plaisir d'apporter aux gens une bonne nouvelle.

Il n'avait point du tout songé que cette bonne nouvelle était la mort d'un ami, du meilleur ami du père Roland, qui venait lui-même d'oublier subitement cette intimité annoncée tout à l'heure avec conviction.

Seuls, Mme Roland et ses fils gardaient une physionomie triste. Elle pleurait toujours un peu, essuyant ses yeux avec

---

1. Placement de l'époque qui devait rapporter 3 % du capital investi.

son mouchoir qu'elle appuyait ensuite sur sa bouche pour comprimer de gros soupirs.

Le docteur murmura :

— C'était un brave homme, bien affectueux. Il nous invitait souvent à dîner, mon frère et moi.

Jean, les yeux grands ouverts et brillants, prenait d'un geste familier sa belle barbe blonde dans sa main droite, et l'y faisait glisser, jusqu'aux derniers poils, comme pour l'allonger et l'amincir.

Il remua deux fois les lèvres pour prononcer aussi une phrase convenable, et, après avoir longtemps cherché, il ne trouva que ceci :

— Il m'aimait bien, en effet, il m'embrassait toujours quand j'allais le voir.

Mais la pensée du père galopait ; elle galopait autour de cet héritage annoncé, acquis déjà, de cet argent caché derrière la porte et qui allait entrer tout à l'heure, demain, sur un mot d'acceptation.

Il demanda :

— Il n'y a pas de difficultés possibles ?... pas de procès ?... pas de contestations ?

Mᵉ Lecanu semblait tranquille :

— Non, mon confrère de Paris me signale la situation comme très nette. Il ne nous faut que l'acceptation de M. Jean.

— Parfait, alors... et la fortune est bien claire ?

— Très claire.

— Toutes les formalités ont été remplies ?

— Toutes.

Soudain, l'ancien bijoutier eut un peu honte, une honte vague, instinctive et passagère de sa hâte à se renseigner, et il reprit :

— Vous comprenez bien que si je vous demande immédiatement toutes ces choses, c'est pour éviter à mon fils des désagréments qu'il pourrait ne pas prévoir. Quelquefois il y a des dettes, une situation embarrassée, est-ce que je sais, moi? et on se fourre dans un roncier inextricable. En somme, ce n'est pas moi qui hérite, mais je pense au petit avant tout.

Dans la famille on appelait toujours Jean «le petit», bien qu'il fût beaucoup plus grand que Pierre.

Mᵐᵉ Roland, tout à coup, parut sortir d'un rêve, se rappeler une chose lointaine, presque oubliée, qu'elle avait entendue autrefois, dont elle n'était pas sûre d'ailleurs, et elle balbutia :

— Ne disiez-vous point que notre pauvre Maréchal avait laissé sa fortune à mon petit Jean?

— Oui, Madame.

Elle reprit alors simplement :

— Cela me fait grand plaisir, car cela prouve qu'il nous aimait.

Roland s'était levé :

— Voulez-vous, cher maître, que mon fils signe tout de suite l'acceptation?

— Non... non... monsieur Roland. Demain, demain, à mon étude, à deux heures, si cela vous convient.

— Mais oui, mais oui, je crois bien!

Alors, Mᵐᵉ Roland qui s'était levée aussi, et qui souriait après les larmes, fit deux pas vers le notaire, posa sa main sur le dos de son fauteuil, et le couvrant d'un regard attendri de mère reconnaissante, elle demanda :

— Et cette tasse de thé, monsieur Lecanu?

— Maintenant, je veux bien, Madame, avec plaisir.

La bonne appelée apporta d'abord des gâteaux secs en de profondes boîtes de fer-blanc, ces fades et cassantes pâtisseries anglaises qui semblent cuites pour des becs de perroquet et soudées en des caisses de métal pour des voyages autour du monde. Elle alla chercher ensuite des serviettes grises, pliées en petits carrés, ces serviettes à thé qu'on ne lave jamais dans les familles besogneuses. Elle revint une troisième fois avec le sucrier et les tasses ; puis elle ressortit pour faire chauffer l'eau. Alors on attendit.

Personne ne pouvait parler ; on avait trop à penser, et rien à dire. Seule Mme Roland cherchait des phrases banales. Elle raconta la partie de pêche, fit l'éloge de la *Perle* et de Mme Rosémilly.

— Charmante, charmante, répétait le notaire.

Roland, les reins appuyés au marbre de la cheminée, comme en hiver, quand le feu brûle, les mains dans ses poches et les lèvres remuantes comme pour siffler, ne pouvait plus tenir en place, torturé du désir impérieux de laisser sortir toute sa joie.

Les deux frères, en deux fauteuils pareils, les jambes croisées de la même façon, à droite et à gauche du guéridon central, regardaient fixement devant eux, en des attitudes semblables, pleines d'expressions différentes.

Le thé parut enfin. Le notaire prit, sucra et but sa tasse, après avoir émietté dedans une petite galette trop dure pour être croquée ; puis il se leva, serra les mains et sortit.

— C'est entendu, répétait Roland, demain, chez vous, à deux heures.

— C'est entendu, demain, deux heures.

Jean n'avait pas dit un mot.

Après ce départ il y eut encore un silence, puis le père Roland vint taper de ses deux mains ouvertes sur les deux épaules de son jeune fils en criant :

— Eh bien ! sacré veinard, tu ne m'embrasses pas ?

Alors Jean eut un sourire, et il embrassa son père en disant :

— Cela ne m'apparaissait pas comme indispensable.

Mais le bonhomme ne se possédait plus d'allégresse. Il

marchait, jouait du piano sur les meubles avec ses ongles maladroits, pivotait sur ses talons, et répétait :

— Quelle chance ! quelle chance ! En voilà une, de chance !

Pierre demanda :

— Vous le connaissiez donc beaucoup, autrefois, ce Maréchal ?

Le père répondit :

— Parbleu, il passait toutes ses soirées à la maison ; mais tu te rappelles bien qu'il allait te prendre au collège, les jours de sortie, et qu'il t'y reconduisait souvent après dîner. Tiens, justement, le matin de la naissance de Jean, c'est lui qui est allé chercher le médecin ! Il avait déjeuné chez nous quand ta mère s'est trouvée souffrante. Nous avons compris tout de suite de quoi il s'agissait, et il est parti en courant. Dans sa hâte il a pris mon chapeau au lieu du sien. Je me rappelle cela parce que nous en avons beaucoup ri, plus tard. Il est même probable qu'il s'est souvenu de ce détail au moment de mourir ; et comme il n'avait aucun héritier il s'est dit : « Tiens, j'ai contribué à la naissance de ce petit-là, je vais lui laisser ma fortune. »

Mme Roland, enfoncée dans une bergère [1], semblait partie en ses souvenirs. Elle murmura, comme si elle pensait tout haut :

— Ah ! c'était un brave ami, bien dévoué, bien fidèle, un homme rare, par le temps qui court.

Jean s'était levé :

— Je vais faire un bout de promenade, dit-il.

Son père s'étonna, voulut le retenir, car ils avaient à causer, à faire des projets, à arrêter des résolutions. Mais le jeune homme s'obstina, prétextant un rendez-vous. On aurait d'ailleurs tout le temps de s'entendre bien avant d'être en possession de l'héritage.

---

1. Fauteuil large et profond.

Et il s'en alla, car il désirait être seul, pour réfléchir. Pierre, à son tour, déclara qu'il sortait, et suivit son frère, après quelques minutes.

Dès qu'il fut en tête à tête avec sa femme, le père Roland la saisit dans ses bras, l'embrassa dix fois sur chaque joue, et, pour répondre à un reproche qu'elle lui avait souvent adressé :

— Tu vois, ma chérie, que cela ne m'aurait servi à rien de rester à Paris plus longtemps, de m'esquinter pour les enfants, au lieu de venir ici refaire ma santé, puisque la fortune nous tombe du ciel.

Elle était devenue toute sérieuse.

— Elle tombe du ciel pour Jean, dit-elle, mais Pierre ?

— Pierre ! mais il est docteur, il en gagnera... de l'argent... et puis son frère fera bien quelque chose pour lui.

— Non. Il n'accepterait pas. Et puis cet héritage est à Jean, rien qu'à Jean. Pierre se trouve ainsi très désavantagé.

Le bonhomme semblait perplexe :

— Alors, nous lui laisserons un peu plus par testament, nous.

— Non. Ce n'est pas très juste non plus.

Il s'écria :

— Ah ! bien alors, zut ! Qu'est-ce que tu veux que j'y fasse, moi ? Tu vas toujours chercher un tas d'idées désagréables. Il faut que tu gâtes tous mes plaisirs. Tiens, je vais me coucher. Bonsoir. C'est égal, en voilà une veine, une rude veine !

Et il s'en alla, enchanté, malgré tout, et sans un mot de regret pour l'ami mort si généreusement.

Mme Roland se remit à songer devant la lampe qui charbonnait [1].

---

1. La mèche se réduisait en charbon, sans flamme.

2

Dès qu'il fut dehors, Pierre se dirigea vers la rue de Paris, la principale rue du Havre, éclairée, animée, bruyante. L'air un peu frais des bords de mer lui caressait la figure, et il marchait lentement, la canne sous le bras, les mains derrière le dos.

Il se sentait mal à l'aise, alourdi, mécontent comme lorsqu'on a reçu quelque fâcheuse nouvelle. Aucune pensée précise ne l'affligeait et il n'aurait su dire tout d'abord d'où lui venait cette pesanteur de l'âme et cet engourdissement du corps. Il avait mal quelque part sans savoir où ; il portait en lui un petit point douloureux, une de ces presque insensibles meurtrissures dont on ne trouve pas la place, mais qui gênent, fatiguent, attristent, irritent, une souffrance inconnue et légère, quelque chose comme une graine de chagrin.

Lorsqu'il arriva place du Théâtre, il se sentit attiré par les lumières du café Tortoni [1], et il s'en vint lentement vers la façade illuminée ; mais au moment d'entrer, il songea qu'il allait trouver là des amis, des connaissances, des gens avec

---

1. Le lieu existait depuis 1868 (il y avait un café du même nom boulevard des Italiens à Paris). La place du Théâtre est ensuite devenue la place Gambetta.

qui il faudrait causer ; et une répugnance brusque l'envahit pour cette banale camaraderie des demi-tasses et des petits verres. Alors, retournant sur ses pas, il revint prendre la rue principale qui le conduisait vers le port.

Il se demandait : « Où irais-je bien ? » cherchant un endroit qui lui plût, qui fût agréable à son état d'esprit. Il n'en trouvait pas, car il s'irritait d'être seul, et il n'aurait voulu rencontrer personne.

En arrivant sur le grand quai, il hésita encore une fois, puis tourna vers la jetée ; il avait choisi la solitude.

Comme il frôlait un banc sur le brise-lames[1], il s'assit, déjà las de marcher et dégoûté de sa promenade avant même de l'avoir faite.

Il se demanda : « Qu'ai-je donc ce soir ? » Et il se mit à chercher dans son souvenir quelle contrariété avait pu l'atteindre, comme on interroge un malade pour trouver la cause de sa fièvre.

Il avait l'esprit excitable et réfléchi en même temps, il s'emballait, puis raisonnait, approuvait ou blâmait ses élans ; mais chez lui la nature première demeurait en dernier lieu la plus forte, et l'homme sensitif[2] dominait toujours l'homme intelligent.

Donc il cherchait d'où lui venait cet énervement, ce besoin de mouvement sans avoir envie de rien, ce désir de rencontrer quelqu'un pour n'être pas du même avis, et aussi ce dégoût pour les gens qu'il pourrait voir et pour les choses qu'ils pourraient lui dire.

Et il se posa cette question : « Serait-ce l'héritage de Jean ? »

Oui, c'était possible, après tout. Quand le notaire avait

---

1. Construction à l'entrée d'un port pour le protéger des vagues du large.
2. Sensible.

annoncé cette nouvelle, il avait senti son cœur battre un
peu plus fort. Certes, on n'est pas toujours maître de soi,
et on subit des émotions spontanées et persistantes, contre
lesquelles on lutte en vain.

Il se mit à réfléchir profondément à ce problème phy-
siologique[1] de l'impression produite par un fait sur l'être
instinctif et créant en lui un courant d'idées et de sensations douloureuses ou joyeuses, contraires à celles que
désire, qu'appelle, que juge bonnes et saines l'être pensant,
devenu supérieur à lui-même par la culture de son intelligence.

Il cherchait à concevoir l'état d'âme du fils qui hérite
d'une grosse fortune, qui va goûter, grâce à elle, beaucoup
de joies désirées depuis longtemps et interdites par l'ava-
rice d'un père, aimé pourtant, et regretté.

Il se leva et se remit à marcher vers le bout de la jetée.
Il se sentait mieux, content d'avoir compris, de s'être surpris lui-même, d'avoir dévoilé l'autre qui est en nous.

— Donc j'ai été jaloux de Jean, pensait-il. C'est vraiment
assez bas, cela ! J'en suis sûr maintenant, car la première
idée qui m'est venue est celle de son mariage avec Mᵐᵉ Rosémilly. Je n'aime pourtant pas cette petite dinde raisonnable,
bien faite pour dégoûter du bon sens et de la sagesse. C'est
donc de la jalousie gratuite, l'essence même de la jalousie,
celle qui est parce qu'elle est ! Faut soigner cela !

Il arrivait devant le mât des signaux qui indique la hauteur de l'eau dans le port, et il alluma une allumette pour
lire la liste des navires signalés au large et devant entrer à
la prochaine marée. On attendait des steamers du Brésil,
de la Plata[2], du Chili et du Japon, deux bricks danois, une
goélette norvégienne et un vapeur turc, ce qui surprit Pierre

---

1. Qui concerne l'organisme humain.
2. En Argentine.

autant que s'il avait lu « un vapeur suisse » ; et il aperçut dans une sorte de songe bizarre un grand vaisseau couvert d'hommes en turban, qui montaient dans les cordages avec de larges pantalons.

— Que c'est bête, pensait-il ; le peuple turc est pourtant un peuple marin.

Ayant fait encore quelques pas, il s'arrêta pour contempler la rade. Sur sa droite, au-dessus de Sainte-Adresse [1], les deux phares électriques du cap de la Hève, semblables à deux cyclopes monstrueux et jumeaux, jetaient sur la mer leurs longs et puissants regards. Partis des deux foyers voisins, les deux rayons parallèles, pareils aux queues géantes de deux comètes, descendaient, suivant une pente droite et démesurée, du sommet de la côte au fond de l'horizon. Puis sur les deux jetées, deux autres feux, enfants de ces colosses, indiquaient l'entrée du Havre ; et là-bas, de l'autre côté de la Seine, on en voyait d'autres encore, beaucoup d'autres, fixes ou clignotants, à éclats et à éclipses, s'ouvrant et se fermant comme des yeux, les yeux des ports, jaunes, rouges, verts, guettant la mer obscure couverte de navires, les yeux vivants de la terre hospitalière disant, rien que par le mouvement mécanique invariable et régulier de leurs paupières : « C'est moi. Je suis Trouville, je suis Honfleur, je suis la rivière de Pont-Audemer [2]. » Et dominant tous les autres, si haut que, de si loin, on le prenait pour une planète, le phare aérien d'Étouville [3] montrait la route de Rouen, à travers les bancs de sable de l'embouchure du grand fleuve.

Puis sur l'eau profonde, sur l'eau sans limites, plus sombre que le ciel, on croyait voir, çà et là, des étoiles. Elles trem-

---

1. Village sur les hauteurs du cap de la Hève.
2. Cette rivière est la Risle.
3. Ce phare, par contre, n'existe pas.

blotaient dans la brume nocturne, petites, proches ou lointaines, blanches, vertes ou rouges aussi. Presque toutes
étaient immobiles, quelques-unes, cependant, semblaient
courir ; c'étaient les feux des bâtiments à l'ancre attendant
la marée prochaine, ou des bâtiments en marche venant
chercher un mouillage.

Juste à ce moment la lune se leva derrière la ville ; et elle
avait l'air du phare énorme et divin, allumé dans le firma-
ment pour guider la flotte infinie des vraies étoiles.

Pierre murmura, presque à haute voix :

« Voilà, et nous nous faisons de la bile pour quatre sous ! »

Tout près de lui soudain, dans la tranchée large et noire
ouverte entre les jetées, une ombre, une grande ombre fan-
tastique, glissa. S'étant penché sur le parapet de granit, il vit
une barque de pêche qui rentrait, sans un bruit de voix, sans
un bruit de flot, sans un bruit d'aviron, doucement poussée
par sa haute voile brune tendue à la brise du large.

Il pensa : « Si on pouvait vivre là-dessus, comme on serait
tranquille, peut-être ! » Puis, ayant fait encore quelques pas,
il aperçut un homme assis à l'extrémité du môle.

Un rêveur, un amoureux, un sage, un heureux ou un
triste ? Qui était-ce ? Il s'approcha, curieux, pour voir la
figure de ce solitaire ; et il reconnut son frère.

— Tiens, c'est toi, Jean ?

— Tiens... Pierre... Qu'est-ce que tu viens faire ici ?

— Mais je prends l'air. Et toi ?

Jean se mit à rire :

— Je prends l'air également.

Et Pierre s'assit à côté de son frère.

— Hein, c'est rudement beau ?

— Mais oui.

Au son de la voix il comprit que Jean n'avait rien regardé ;
il reprit :

— Moi, quand je viens ici, j'ai des désirs fous de partir,

de m'en aller avec tous ces bateaux, vers le Nord ou vers le Sud. Songe que ces petits feux, là-bas, arrivent de tous les coins du monde, des pays aux grandes fleurs et aux belles filles pâles ou cuivrées, des pays aux oiseaux-mouches, aux éléphants, aux lions libres, aux rois nègres, de tous les pays qui sont nos contes de fées à nous qui ne croyons plus à la Chatte blanche ni à la Belle au bois dormant[1]. Ce serait rudement chic de pouvoir s'offrir une promenade par là-bas ; mais voilà, il faudrait de l'argent, beaucoup...

Il se tut brusquement, songeant que son frère l'avait maintenant, cet argent, et que délivré de tout souci, délivré du travail quotidien, libre, sans entraves, heureux, joyeux, il pouvait aller où bon lui semblerait, vers les blondes Suédoises ou les brunes Havanaises.

Puis une de ces pensées involontaires, fréquentes chez lui, si brusques, si rapides, qu'il ne pouvait ni les prévoir, ni les arrêter, ni les modifier, venues, semblait-il, d'une seconde âme indépendante et violente, le traversa : « Bah ! il est trop niais, il épousera la petite Rosémilly. »

Il s'était levé.

— Je te laisse rêver d'avenir ; moi, j'ai besoin de marcher.

Il serra la main de son frère, et reprit avec un accent très cordial :

— Eh bien, mon petit Jean, te voilà riche ! Je suis bien content de t'avoir rencontré tout seul ce soir, pour te dire combien cela me fait plaisir, combien je te félicite et combien je t'aime.

Jean, d'une nature douce et tendre, très ému, balbutiait :

— Merci... merci... mon bon Pierre, merci.

---

1. *La Chatte blanche* est un conte de Mme d'Aulnoy et *La Belle au bois dormant* est de Charles Perrault.

Et Pierre s'en retourna, de son pas lent, la canne sous le bras, les mains derrière le dos.

Lorsqu'il fut rentré dans la ville, il se demanda de nouveau ce qu'il ferait, mécontent de cette promenade écourtée ; d'avoir été privé de la mer par la présence de son frère.

Il eut une inspiration : « Je vais boire un verre de liqueur chez le père Marowsko » ; et il remonta vers le quartier d'Ingouville.

Il avait connu le père Marowsko dans les hôpitaux à Paris. C'était un vieux Polonais, réfugié politique[1], disait-on, qui avait eu des histoires terribles là-bas et qui était venu exercer en France, après nouveaux examens, son métier de pharmacien. On ne savait rien de sa vie passée ; aussi des légendes avaient-elles couru parmi les internes, les externes, et plus tard parmi les voisins. Cette réputation de conspirateur redoutable, de nihiliste[2], de régicide[3], de patriote prêt à tout, échappé à la mort par miracle, avait séduit l'imagination aventureuse et vive de Pierre Roland ; et il était devenu l'ami du vieux Polonais, sans avoir jamais obtenu de lui, d'ailleurs, aucun aveu sur son existence ancienne. C'était encore grâce au jeune médecin que le bonhomme était venu s'établir au Havre, comptant sur une belle clientèle que le nouveau docteur lui fournirait.

En attendant, il vivait pauvrement dans sa modeste pharmacie, en vendant des remèdes aux petits bourgeois et aux ouvriers de son quartier.

Pierre allait souvent le voir après dîner et causer une heure avec lui, car il aimait la figure calme et la rare conver-

---

1. Les Polonais s'étaient soulevés contre les Russes en 1863, s'attirant une sévère répression.
2. Qui refuse toute contrainte sociale.
3. Qui veut assassiner le roi.

sation de Marowsko, dont il jugeait profonds les longs silences.

Un seul bec de gaz brûlait au-dessus du comptoir chargé de fioles. Ceux de la devanture n'avaient point été allumés, par économie. Derrière ce comptoir, assis sur une chaise et les jambes allongées l'une sur l'autre, un vieux homme chauve, avec un grand nez d'oiseau qui, continuant son front dégarni, lui donnait un air triste de perroquet, dormait profondément, le menton sur la poitrine.

Au bruit du timbre, il s'éveilla, se leva, et reconnaissant le docteur, vint au-devant de lui, les mains tendues.

Sa redingote noire, tigrée de taches d'acides et de sirops, beaucoup trop vaste pour son corps maigre et petit, avait un aspect d'antique soutane ; et l'homme parlait avec un fort accent polonais qui donnait à sa voix fluette quelque chose d'enfantin, un zézaiement et des intonations de jeune être qui commence à prononcer.

Pierre s'assit et Marowsko demanda :

— Quoi de neuf, mon cher docteur ?

— Rien. Toujours la même chose partout.

— Vous n'avez pas l'air gai, ce soir.

— Je ne le suis pas souvent.

— Allons, allons, il faut secouer cela. Voulez-vous un verre de liqueur ?

— Oui, je veux bien.

— Alors je vais vous faire goûter une préparation nouvelle. Voilà deux mois que je cherche à tirer quelque chose de la groseille, dont on n'a fait jusqu'ici que du sirop... eh bien ! j'ai trouvé... j'ai trouvé... une bonne liqueur, très bonne, très bonne.

Et ravi, il alla vers une armoire, l'ouvrit et choisit une fiole qu'il apporta. Il remuait et agissait par gestes courts, jamais complets, jamais il n'allongeait le bras tout à fait, n'ouvrait toutes grandes les jambes, ne faisait un mouvement entier et définitif. Ses idées semblaient pareilles à ses actes ; il les indiquait, les promettait, les esquissait, les suggérait, mais ne les énonçait pas.

Sa plus grande préoccupation dans la vie semblait être d'ailleurs la préparation des sirops et des liqueurs. « Avec un bon sirop ou une bonne liqueur, on fait fortune », disait-il souvent.

Il avait inventé des centaines de préparations sucrées sans parvenir à en lancer une seule. Pierre affirmait que Marowsko le faisait penser à Marat[1].

Deux petits verres furent pris dans l'arrière-boutique et apportés sur la planche aux préparations ; puis les deux hommes examinèrent en l'élevant vers le gaz la coloration du liquide.

— Joli rubis ! déclara Pierre.

— N'est-ce pas ?

La vieille tête de perroquet du Polonais semblait ravie.

Le docteur goûta, savoura, réfléchit, goûta de nouveau, réfléchit encore et se prononça :

— Très bon, très bon, et très neuf comme saveur ; une trouvaille, mon cher !

— Ah ! vraiment, je suis bien content.

Alors Marowsko demanda conseil pour baptiser la liqueur nouvelle ; il voulait l'appeler « essence de groseille », ou bien « fine groseille », ou bien « grosélia », ou bien « groséline ».

Pierre n'approuvait aucun de ces noms.

Le vieux eut une idée :

— Ce que vous avez dit tout à l'heure est très bon, très bon : « Joli rubis ».

Le docteur contesta encore la valeur de ce nom, bien

---

1. Révolutionnaire français (1743-1793) qui possédait quelques connaissances médicales.

qu'il l'eût trouvé, et il conseilla simplement «groseillette»,
que Marowsko déclara admirable.

Puis ils se turent et demeurèrent assis quelques minutes,
sans prononcer un mot, sous l'unique bec de gaz.

Pierre, enfin, presque malgré lui :

— Tiens, il nous est arrivé une chose assez bizarre, ce
soir. Un des amis de mon père, en mourant, a laissé sa fortune à mon frère.

Le pharmacien sembla ne pas comprendre tout de suite,
mais, après avoir songé, il espéra que le docteur héritait par
moitié. Quand la chose eut été bien expliquée, il parut surpris et fâché ; et pour exprimer son mécontentement de
voir son jeune ami sacrifié, il répéta plusieurs fois :

— Ça ne fera pas un bon effet.

Pierre, que son énervement reprenait, voulut savoir ce
que Marowsko entendait par cette phrase.

— Pourquoi cela ne ferait-il pas un bon effet ? Quel mauvais effet pouvait résulter de ce que son frère héritait la fortune d'un ami de la famille ?

Mais le bonhomme, circonspect, ne s'expliqua pas davantage.

— Dans ce cas-là on laisse aux deux frères également,
je vous dis que ça ne fera pas un bon effet.

Et le docteur, impatienté, s'en alla, rentra dans la maison
paternelle et se coucha.

Pendant quelque temps, il entendit Jean qui marchait doucement dans la chambre voisine, puis il s'endormit après
avoir bu deux verres d'eau.

3

Le docteur se réveilla le lendemain avec la résolution bien arrêtée de faire fortune.

Plusieurs fois déjà il avait pris cette détermination sans en poursuivre la réalité. Au début de toutes ses tentatives de carrière nouvelle, l'espoir de la richesse vite acquise soutenait ses efforts et sa confiance jusqu'au premier obstacle, jusqu'au premier échec qui le jetait dans une voie nouvelle.

Enfoncé dans son lit entre les draps chauds, il méditait. Combien de médecins étaient devenus millionnaires en peu de temps ! Il suffisait d'un grain de savoir-faire, car, dans le cours de ses études, il avait pu apprécier les plus célèbres professeurs, et il les jugeait des ânes. Certes il valait autant qu'eux, sinon mieux. S'il parvenait par un moyen quelconque à capter la clientèle élégante et riche du Havre, il pouvait gagner cent mille francs par an avec facilité. Et il calculait, d'une façon précise, les gains assurés. Le matin, il sortirait, il irait chez ses malades. En prenant la moyenne, bien faible, de dix par jour, à vingt francs l'un, cela lui ferait, au minimum, soixante-douze mille francs par an, même soixante-quinze mille, car le chiffre de dix malades était inférieur à la réalisation certaine. Après midi, il recevrait dans son cabinet une autre moyenne de dix visiteurs à dix francs, soit trente-six mille francs. Voilà donc cent vingt mille francs, chiffre rond. Les clients anciens et les amis qu'il irait voir à dix francs et qu'il recevrait à cinq francs feraient peut-être sur ce total une légère diminution compensée par les consultations avec d'autres médecins et par tous les petits bénéfices courants de la profession.

Rien de plus facile que d'arriver là avec de la réclame habile, des échos dans le *Figaro*[1] indiquant que le corps scientifique parisien avait les yeux sur lui, s'intéressait à des cures surprenantes entreprises par le jeune et modeste savant havrais. Et il serait plus riche que son frère, plus riche et célèbre, et content de lui-même, car il ne devrait sa fortune qu'à lui; et il se montrerait généreux pour ses vieux parents, justement fiers de sa renommée. Il ne se marierait pas, ne voulant point encombrer son existence d'une femme unique et gênante, mais il aurait des maîtresses parmi ses clientes les plus jolies.

Il se sentait si sûr du succès, qu'il sauta hors du lit comme pour le saisir tout de suite, et il s'habilla afin d'aller chercher par la ville l'appartement qui lui convenait.

Alors, en rôdant à travers les rues, il songea combien sont légères les causes déterminantes de nos actions. Depuis trois semaines, il aurait pu, il aurait dû prendre cette résolution née brusquement en lui, sans aucun doute, à la suite de l'héritage de son frère.

Il s'arrêtait devant les portes où pendait un écriteau annonçant soit un bel appartement, soit un riche appartement à louer, les indications sans adjectif le laissant toujours plein de dédain. Alors il visitait avec des façons hautaines, mesurait la hauteur des plafonds, dessinait sur son calepin le plan du logis, les communications, la disposition des issues, annonçait qu'il était médecin et qu'il recevait beau-

---

1. Le quotidien a été créé en 1854.

coup. Il fallait que l'escalier fût large et bien tenu ; il ne pouvait monter d'ailleurs au-dessus du premier étage.

Après avoir noté sept ou huit adresses et griffonné deux
cents renseignements, il rentra pour déjeuner avec un quart
d'heure de retard.

Dès le vestibule, il entendit un bruit d'assiettes. On mangeait donc sans lui. Pourquoi ? Jamais on n'était aussi exact
dans la maison. Il fut froissé, mécontent, car il était un peu
susceptible. Dès qu'il entra, Roland lui dit :

— Allons, Pierre, dépêche-toi, sacrebleu ! Tu sais que
nous allons à deux heures chez le notaire. Ce n'est pas le
jour de musarder [1].

Le docteur s'assit, sans répondre, après avoir embrassé
sa mère et serré la main de son père et de son frère ; et il
prit dans le plat creux, au milieu de la table, la côtelette
réservée pour lui. Elle était froide et sèche. Ce devait être
la plus mauvaise. Il pensa qu'on aurait pu la laisser dans le
fourneau jusqu'à son arrivée, et ne pas perdre la tête au
point d'oublier complètement l'autre fils, le fils aîné. La
conversation, interrompue par son entrée, reprit au point
où il l'avait coupée.

— Moi, disait à Jean Mme Roland, voici ce que je ferais
tout de suite. Je m'installerais richement, de façon à frapper l'œil, je me montrerais dans le monde, je monterais à
cheval, et je choisirais une ou deux causes intéressantes
pour les plaider et me bien poser au Palais [2]. Je voudrais être
une sorte d'avocat amateur très recherché. Grâce à Dieu,
te voici à l'abri du besoin, et si tu prends une profession,
en somme, c'est pour ne pas perdre le fruit de tes études
et parce qu'un homme ne doit jamais rester à rien faire.

Le père Roland, qui pelait une poire, déclara :

---

1. Perdre son temps.
2. Palais de justice.

— Cristi ! à ta place, c'est moi qui achèterais un joli bateau, un cotre[1] sur le modèle de nos pilotes. J'irais jusqu'au Sénégal, avec ça.

Pierre, à son tour, donna son avis. En somme, ce n'était pas la fortune qui faisait la valeur morale, la valeur intellectuelle d'un homme. Pour les médiocres elle n'était qu'une cause d'abaissement, tandis qu'elle mettait au contraire un levier puissant aux mains des forts. Ils étaient rares d'ailleurs, ceux-là. Si Jean était vraiment un homme supérieur, il le pourrait montrer maintenant qu'il se trouvait à l'abri du besoin. Mais il lui faudrait travailler cent fois plus qu'il ne l'aurait fait en d'autres circonstances. Il ne s'agissait pas de plaider pour ou contre la veuve et l'orphelin et d'empocher tant d'écus pour tout procès gagné ou perdu, mais de devenir un jurisconsulte[2] éminent, une lumière du droit.

Et il ajouta comme conclusion :

— Si j'avais de l'argent, moi, j'en découperais, des cadavres[3] !

Le père Roland haussa les épaules :

— Tra la la ! Le plus sage dans la vie c'est de se la couler douce. Nous ne sommes pas des bêtes de peine, mais des hommes. Quand on naît pauvre, il faut travailler ; eh bien ! tant pis, on travaille ; mais quand on a des rentes, sacristi ! il faudrait être jobard[4] pour s'esquinter le tempérament.

Pierre répondit avec hauteur :

— Nos tendances ne sont pas les mêmes ! Moi, je ne respecte au monde que le savoir et l'intelligence, tout le reste est méprisable.

---

1. Petit bateau à un seul mât.
2. Personne qui donne son avis sur les questions juridiques.
3. Il fallait payer pour effectuer des recherches médicales sur les cadavres.
4. Idiot.

Mme Roland s'efforçait toujours d'amortir les heurts incessants entre le père et le fils; elle détourna donc la conversation, et parla d'un meurtre qui avait été commis, la semaine précédente, à Bolbec-Nointot[1]. Les esprits aussitôt furent occupés par les circonstances environnant le forfait, et attirés par l'horreur intéressante, par le mystère attrayant des crimes, qui, même vulgaires, honteux et répugnants, exercent sur la curiosité humaine une étrange et générale fascination.

De temps en temps, cependant, le père Roland tirait sa montre :

— Allons, dit-il, il va falloir se mettre en route.

Pierre ricana :

— Il n'est pas encore une heure. Vrai, ça n'était point la peine de me faire manger une côtelette froide.

— Viens-tu chez le notaire ? demanda sa mère.

Il répondit sèchement :

— Moi, non, pour quoi faire ? Ma présence est fort inutile.

Jean demeurait silencieux comme s'il ne s'agissait point de lui. Quand on avait parlé du meurtre de Bolbec, il avait émis, en juriste, quelques idées et développé quelques considérations sur les crimes et sur les criminels. Maintenant, il se taisait de nouveau, mais la clarté de son œil, la rougeur animée de ses joues, jusqu'au luisant de sa barbe, semblaient proclamer son bonheur.

Après le départ de sa famille, Pierre, se trouvant seul de nouveau, recommença ses investigations du matin à travers les appartements à louer. Après deux ou trois heures d'escaliers montés et descendus, il découvrit enfin, sur le boulevard François-Ier, quelque chose de joli : un grand entresol avec deux portes sur des rues différentes, deux salons, une

---

1. Gare de Bolbec, commune située au nord-est du Havre.

galerie vitrée où les malades, en attendant leur tour, se promèneraient au milieu des fleurs, et une délicieuse salle à manger en rotonde ayant vue sur la mer.

Au moment de louer, le prix de trois mille francs l'arrêta, car il fallait payer d'avance le premier terme, et il n'avait rien, pas un sou devant lui.

La petite fortune amassée par son père s'élevait à peine à huit mille francs de rentes, et Pierre se faisait ce reproche d'avoir mis souvent ses parents dans l'embarras par ses longues hésitations dans le choix d'une carrière, ses tentatives toujours abandonnées et ses continuels recommencements d'études. Il partit donc en promettant une réponse avant deux jours; et l'idée lui vint de demander à son frère ce premier trimestre, ou même le semestre, soit quinze cents francs, dès que Jean serait en possession de son héritage.

«Ce sera un prêt de quelques mois à peine, pensait-il. Je le rembourserai peut-être même avant la fin de l'année. C'est tout simple, d'ailleurs, et il sera content de faire cela pour moi.»

Comme il n'était pas encore quatre heures, et qu'il n'avait rien à faire, absolument rien, il alla s'asseoir dans le Jardin public; et il demeura longtemps sur son banc, sans idées, les yeux à terre, accablé par une lassitude qui devenait de la détresse.

Tous les jours précédents, depuis son retour dans la maison paternelle, il avait vécu ainsi pourtant, sans souffrir aussi cruellement du vide de l'existence et de son inaction. Comment avait-il donc passé son temps du lever jusqu'au coucher?

Il avait flâné sur la jetée aux heures de marée, flâné par les rues, flâné dans les cafés, flâné chez Marowsko, flâné partout. Et voilà que, tout à coup, cette vie, supportée jusqu'ici, lui devenait odieuse, intolérable. S'il avait eu quelque argent il aurait pris une voiture pour faire une longue promenade dans la campagne, le long des fossés de ferme ombragés de hêtres et d'ormes ; mais il devait compter le prix d'un bock[1] ou d'un timbre-poste, et ces fantaisies-là ne lui étaient point permises. Il songea soudain combien il est dur, à trente ans passés, d'être réduit à demander, en rougissant, un louis à sa mère, de temps en temps ; et il murmura, en grattant la terre du bout de sa canne :

— Cristi ! si j'avais de l'argent !

Et la pensée de l'héritage de son frère entra en lui de nouveau, à la façon d'une piqûre de guêpe ; mais il la chassa avec impatience, ne voulant point s'abandonner sur cette pente de jalousie.

Autour de lui des enfants jouaient dans la poussière des chemins. Ils étaient blonds avec de longs cheveux, et ils faisaient d'un air très sérieux, avec une attention grave, de petites montagnes de sable pour les écraser ensuite d'un coup de pied.

Pierre était dans un de ces jours mornes où on regarde dans tous les coins de son âme, où on en secoue tous les plis.

« Nos besognes ressemblent aux travaux de ces mioches », pensait-il. Puis il se demanda si le plus sage dans la vie n'était pas encore d'engendrer deux ou trois de ces petits êtres inutiles et de les regarder grandir avec complaisance et curiosité. Et le désir du mariage l'effleura. On n'est pas si perdu, n'étant plus seul. On entend au moins remuer quelqu'un près de soi aux heures de trouble et d'incertitude, c'est déjà quelque chose de dire « tu » à une femme, quand on souffre.

Il se mit à songer aux femmes.

Il les connaissait très peu, n'ayant eu au quartier Latin[2]

_____

1. Verre de bière.
2. À Paris.

que des liaisons de quinzaine, rompues quand était mangé l'argent du mois, et renouées ou remplacées le mois suivant. Il devait exister, cependant, des créatures très bonnes, très douces et très consolantes. Sa mère n'avait-elle pas été la raison et le charme du foyer paternel ? Comme il aurait voulu connaître une femme, une vraie femme !

Il se releva tout à coup avec la résolution d'aller faire une petite visite à Mme Rosémilly.

Puis il se rassit brusquement. Elle lui déplaisait, celle-là ! Pourquoi ? Elle avait trop de bon sens vulgaire et bas ; et puis, ne semblait-elle pas lui préférer Jean ? Sans se l'avouer à lui-même d'une façon nette, cette préférence entrait pour beaucoup dans sa mésestime pour l'intelligence de la veuve, car, s'il aimait son frère, il ne pouvait s'abstenir de le juger un peu médiocre et de se croire supérieur.

Il n'allait pourtant point rester là jusqu'à la nuit, et, comme la veille au soir, il se demanda anxieusement : « Que vais-je faire ? »

Il se sentait maintenant à l'âme un besoin de s'attendrir, d'être embrassé et consolé. Consolé de quoi ? Il ne l'aurait su dire, mais il était dans une de ces heures de faiblesse et de lassitude où la présence d'une femme, la caresse d'une femme, le toucher d'une main, le frôlement d'une robe, un doux regard noir ou bleu semblent indispensables et tout de suite, à notre cœur.

Et le souvenir lui vint d'une petite bonne de brasserie ramenée un soir chez elle et revue de temps en temps.

Il se leva donc de nouveau pour aller boire un bock avec cette fille. Que lui dirait-il ? Que lui dirait-elle ? Rien, sans doute. Qu'importe ? il lui tiendrait la main quelques secondes ! Elle semblait avoir du goût pour lui. Pourquoi donc ne la voyait-il pas plus souvent ?

Il la trouva sommeillant sur une chaise dans la salle de brasserie presque vide. Trois buveurs fumaient leurs pipes,

accoudés aux tables de chêne, la caissière lisait un roman,
tandis que le patron, en manches de chemise, dormait tout
à fait sur la banquette.

Dès qu'elle l'aperçut, la fille se leva vivement et, venant
à lui :

— Bonjour, comment allez-vous ?

— Pas mal, et toi ?

— Moi, très bien. Comme vous êtes rare ?

— Oui, j'ai très peu de temps à moi. Tu sais que je suis
médecin.

— Tiens, vous ne me l'aviez pas dit. Si j'avais su, j'ai été
souffrante la semaine dernière, je vous aurais consulté.
Qu'est-ce que vous prenez ?

— Un bock, et toi ?

— Moi, un bock aussi, puisque tu me le payes.

Et elle continua à le tutoyer comme si l'offre de cette
consommation en avait été la permission tacite. Alors, assis
face à face, ils causèrent. De temps en temps elle lui prenait la main avec cette familiarité facile des filles dont la
caresse est à vendre, et le regardant avec des yeux enga-
geants elle lui disait :

— Pourquoi ne viens-tu pas plus souvent ? Tu me plais
beaucoup, mon chéri.

Mais déjà il se dégoûtait d'elle, la voyait bête, commune,
sentant le peuple. Les femmes, se disait-il, doivent nous
apparaître dans un rêve ou dans une auréole de luxe qui
poétise leur vulgarité.

Elle lui demandait :

— Tu es passé l'autre matin avec un beau blond à grande
barbe, est-ce ton frère ?

— Oui, c'est mon frère.

— Il est rudement joli garçon.

— Tu trouves ?

— Mais oui, et puis il a l'air d'un bon vivant.

Quel étrange besoin le poussa tout à coup à raconter à cette servante de brasserie l'héritage de Jean? Pourquoi cette idée, qu'il rejetait de lui lorsqu'il se trouvait seul, qu'il repoussait par crainte du trouble apporté dans son âme, lui vint-elle aux lèvres en cet instant, et pourquoi la laissa-t-il couler, comme s'il eût eu besoin de vider de nouveau devant quelqu'un son cœur gonflé d'amertume?

Il dit en croisant ses jambes :

— Il a joliment de la chance, mon frère, il vient d'hériter de vingt mille francs de rentes.

Elle ouvrit tout grands ses yeux bleus et cupides :

— Oh! et qui est-ce qui lui a laissé cela, sa grand'mère ou bien sa tante?

— Non, un vieil ami de mes parents.

— Rien qu'un ami? Pas possible! Et il ne t'a rien laissé, à toi?

— Non. Moi je le connaissais très peu.

Elle réfléchit quelques instants, puis, avec un sourire drôle sur les lèvres :

— Eh bien! il a de la chance ton frère d'avoir des amis de cette espèce-là! Vrai, ça n'est pas étonnant qu'il te ressemble si peu!

Il eut envie de la gifler sans savoir au juste pourquoi, et il demanda, la bouche crispée :

— Qu'est-ce que tu entends par là?

Elle avait pris un air bête et naïf :

— Moi, rien. Je veux dire qu'il a plus de chance que toi.

Il jeta vingt sous sur la table et sortit.

Maintenant il se répétait cette phrase : «Ça n'est pas étonnant qu'il te ressemble si peu.»

Qu'avait-elle pensé, qu'avait-elle sous-entendu dans ces mots? Certes il y avait là une malice, une méchanceté, une infamie. Oui, cette fille avait dû croire que Jean était le fils de Maréchal.

L'émotion qu'il ressentit à l'idée de ce soupçon jeté sur sa mère fut si violente qu'il s'arrêta et qu'il chercha de l'œil un endroit pour s'asseoir.

Un autre café se trouvait en face de lui, il y entra, prit une chaise, et comme le garçon se présentait : «Un bock», dit-il.

Il sentait battre son cœur; des frissons lui couraient sur la peau. Et tout à coup le souvenir lui vint de ce qu'avait dit Marowsko la veille : «Ça ne fera pas un bon effet.» Avait-il eu la même pensée, le même soupçon que cette drôlesse[1] ?

La tête penchée sur son bock il regardait la mousse blanche pétiller et fondre, et il se demandait : «Est-ce possible qu'on croie une chose pareille?»

Les raisons qui feraient naître ce doute odieux dans les esprits lui apparaissaient maintenant, l'une après l'autre, claires, évidentes, exaspérantes. Qu'un vieux garçon sans héritiers laisse sa fortune aux deux enfants d'un ami, rien de plus simple et de plus naturel, mais qu'il la donne tout entière à un seul de ces enfants, certes le monde s'étonnera, chuchotera et finira par sourire. Comment n'avait-il pas prévu cela, comment son père ne l'avait-il pas senti, comment sa mère ne l'avait-elle pas deviné? Non, ils s'étaient trouvés trop heureux de cet argent inespéré pour que cette idée les effleurât. Et puis comment ces honnêtes gens auraient-ils soupçonné une pareille ignominie?

Mais le public, mais le voisin, le marchand, le fournisseur, tous ceux qui les connaissaient n'allaient-ils pas répéter cette chose abominable, s'en amuser, s'en réjouir, rire de son père et mépriser sa mère?

Et la remarque faite par la fille de brasserie que Jean était blond et lui brun, qu'ils ne se ressemblaient ni de figure, ni

---

1. Femme méprisable.

de démarche, ni de tournure, ni d'intelligence, frapperait maintenant tous les yeux et tous les esprits. Quand on parlerait d'un fils Roland on dirait : « Lequel, le vrai ou le faux ? »

Il se leva avec la résolution de prévenir son frère, de le mettre en garde contre cet affreux danger menaçant l'honneur de leur mère. Mais que ferait Jean ? Le plus simple, assurément, serait de refuser l'héritage qui irait alors aux pauvres, et de dire seulement aux amis et connaissances informés de ce legs que le testament contenait des clauses et conditions inacceptables qui auraient fait de Jean, non pas un héritier, mais un dépositaire [1].

Tout en rentrant à la maison paternelle, il songeait qu'il devait voir son frère seul, afin de ne point parler devant ses parents d'un pareil sujet.

Dès la porte il entendit un grand bruit de voix et de rires dans le salon, et, comme il entrait, il entendit Mme Rosémilly et le capitaine Beausire, ramenés par son père et gardés à dîner afin de fêter la bonne nouvelle.

On avait fait apporter du vermouth et de l'absinthe pour se mettre en appétit, et on s'était mis d'abord en belle humeur. Le capitaine Beausire, un petit homme tout rond à force d'avoir roulé sur la mer, et dont toutes les idées semblaient rondes aussi, comme les galets des rivages, et qui riait avec des *r* plein la gorge, jugeait la vie une chose excellente dont tout était bon à prendre.

Il trinquait avec le père Roland, tandis que Jean présentait aux dames deux nouveaux verres pleins.

Mme Rosémilly refusait, quand le capitaine Beausire, qui avait connu feu son époux [2], s'écria :

— Allons, allons, madame, *bis repetita placent* [3], comme

---

1. Quelqu'un qui ne détient quelque chose que provisoirement.
2. Son époux décédé.
3. C'est du latin : « Les choses répétées deux fois plaisent. »

nous disons en patois, ce qui signifie : « Deux vermouths ne font jamais mal. » Moi, voyez-vous, depuis que je ne navigue plus, je me donne comme ça, chaque jour, avant dîner, deux ou trois coups de roulis artificiel ! J'y ajoute un coup de tangage après le café, ce qui me fait grosse mer pour la soirée. Je ne vais jamais jusqu'à la tempête par exemple, jamais, jamais, car je crains les avaries.

Roland, dont le vieux long-courrier flattait la manie nautique, riait de tout son cœur, la face déjà rouge et l'œil troublé par l'absinthe. Il avait un gros ventre de boutiquier, rien qu'un ventre où semblait réfugié le reste de son corps, un de ces ventres mous d'hommes toujours assis, qui n'ont plus ni cuisses, ni poitrine, ni bras, ni cou, le fond de leur chaise ayant tassé toute leur matière au même endroit.

Beausire au contraire, bien que court et gros, semblait plein comme un œuf et dur comme une balle.

Mme Roland n'avait point vidé son premier verre, et, rose de bonheur, le regard brillant, elle contemplait son fils Jean.

Chez lui maintenant la crise de joie éclatait. C'était une affaire finie, une affaire signée, il avait vingt mille francs de rentes. Dans la façon dont il riait, dont il parlait avec une voix plus sonore, dont il regardait les gens, à ses manières plus nettes, à son assurance plus grande, on sentait l'aplomb que donne l'argent.

Le dîner fut annoncé, et comme le vieux Roland allait offrir son bras à Mme Rosémilly : « Non, non, père, cria sa femme, aujourd'hui tout est pour Jean. »

Sur la table éclatait un luxe inaccoutumé : devant l'assiette de Jean, assis à la place de son père, un énorme bouquet rempli de faveurs [1] de soie, un vrai bouquet de grande cérémonie, s'élevait comme un dôme pavoisé [2], flanqué de

---

1. Rubans.
2. Orné.

quatre compotiers dont l'un contenait une pyramide de
pêches magnifiques, le second un gâteau monumental gorgé
de crème fouettée et couvert de clochettes de sucre fondu,
une cathédrale en biscuit, le troisième des tranches d'ana-
nas noyées dans un sirop clair, et le quatrième, luxe inouï,
du raisin noir, venu des pays chauds.

— Bigre ! dit Pierre en s'asseyant, nous célébrons l'avè-
nement de Jean le Riche.

Après le potage on offrit du madère ; et tout le monde
déjà parlait en même temps. Beausire racontait un dîner qu'il
avait fait à Saint-Domingue[1] à la table d'un général nègre. Le
père Roland l'écoutait, tout en cherchant à glisser entre les
phrases le récit d'un autre repas donné par un de ses amis,
à Meudon[2], et dont chaque convive avait été quinze jours
malade. Mme Rosémilly, Jean et sa mère faisaient un projet
d'excursion et de déjeuner à Saint-Jouin[3], dont ils se promettaient déjà un plaisir infini ; et Pierre regrettait de ne pas
avoir dîné seul, dans une gargote[4] au bord de la mer, pour
éviter tout ce bruit, ces rires et cette joie qui l'énervaient.

Il cherchait comment il allait s'y prendre, maintenant,
pour dire à son frère ses craintes et pour le faire renoncer
à cette fortune acceptée déjà, dont il jouissait, dont il se gri-
sait d'avance. Ce serait dur pour lui, certes, mais il le fallait ; il ne pouvait hésiter, la réputation de leur mère étant
menacée.

L'apparition d'un bar énorme rejeta Roland dans les récits
de pêche. Beausire en narra de surprenantes au Gabon, à
Sainte-Marie de Madagascar et surtout sur les côtes de la
Chine et du Japon, où les poissons ont des figures drôles

---

1. Île d'Haïti.
2. En banlieue parisienne.
3. Localité proche du Havre.
4. Restaurant bon marché.

comme les habitants. Et il racontait les mines de ces poissons, leurs gros yeux d'or, leurs ventres bleus ou rouges,
leurs nageoires bizarres, pareilles à des éventails, leur queue
coupée en croissant de lune, en mimant d'une façon si plai-
sante que tout le monde riait aux larmes en l'écoutant.

Seul, Pierre paraissait incrédule et murmurait : « On a
bien raison de dire que les Normands sont les Gascons du
Nord. »

Après le poisson vint un vol-au-vent, puis un poulet rôti,
une salade, des haricots verts et un pâté d'alouettes de
Pithiviers. La bonne de Mme Rosémilly aidait au service ; et
la gaieté allait croissant avec le nombre des verres de vin.
Quand sauta le bouchon de la première bouteille de champagne, le père Roland, très excité, imita avec sa bouche le
bruit de cette détonation, puis déclara :

— J'aime mieux ça qu'un coup de pistolet.

Pierre, de plus en plus agacé, répondit en ricanant :

— Cela est peut-être, cependant, plus dangereux pour
toi.

Roland, qui allait boire, reposa son verre plein sur la table
et demanda :

— Pourquoi donc ?

Depuis longtemps il se plaignait de sa santé, de lourdeurs,
de vertiges, de malaises constants et inexplicables. Le docteur reprit :

— Parce que la balle du pistolet peut fort bien passer à
côté de toi, tandis que le verre de vin te passe forcément
dans le ventre.

— Et puis ?

— Et puis il te brûle l'estomac, désorganise le système
nerveux, alourdit la circulation et prépare l'apoplexie [1] dont
sont menacés tous les hommes de ton tempérament.

1. Perte des fonctions cérébrales.

L'ivresse croissante de l'ancien bijoutier paraissait dissipée comme une fumée par le vent ; et il regardait son fils avec des yeux inquiets et fixes, cherchant à comprendre s'il ne se moquait pas.

Mais Beausire s'écria :

— Ah ! ces sacrés médecins, toujours les mêmes : ne mangez pas, ne buvez pas, n'aimez pas, et ne dansez pas en rond. Tout ça fait du bobo à petite santé. Eh bien ! j'ai pratiqué tout ça, moi, Monsieur, dans toutes les parties du monde, partout où j'ai pu, et le plus que j'ai pu, et je ne m'en porte pas plus mal.

Pierre répondit avec aigreur :

— D'abord, vous, capitaine, vous êtes plus fort que mon père ; et puis tous les viveurs parlent comme vous jusqu'au jour où... et ils ne reviennent pas le lendemain dire au médecin prudent : « Vous aviez raison, docteur. » Quand je vois mon père faire ce qu'il y a de plus mauvais et de plus dangereux pour lui, il est bien naturel que je le prévienne. Je serais un mauvais fils si j'agissais autrement.

Mme Roland, désolée, intervint à son tour :

— Voyons, Pierre, qu'est-ce que tu as ? Pour une fois, ça ne lui fera pas de mal. Songe quelle fête pour lui, pour nous. Tu vas gâter tout son plaisir et nous chagriner tous. C'est vilain, ce que tu fais là !

Il murmura en haussant les épaules :

— Qu'il fasse ce qu'il voudra, je l'ai prévenu.

Mais le père Roland ne buvait pas. Il regardait son verre, son verre plein de vin lumineux et clair, dont l'âme légère, l'âme enivrante s'envolait par petites bulles venues du fond et montant, pressées et rapides, s'évaporer à la surface ; il le regardait avec une méfiance de renard qui trouve une poule morte et flaire un piège.

Il demanda, en hésitant :

— Tu crois que ça me ferait beaucoup de mal ?

Pierre eut un remords et se reprocha de faire souffrir les autres de sa mauvaise humeur.

— Non, va, pour une fois, tu peux le boire ; mais n'en abuse point et n'en prends pas l'habitude.

Alors le père Roland leva son verre sans se décider encore à le porter à sa bouche. Il le contemplait douloureusement, avec envie et avec crainte ; puis il le flaira, le goûta, le but par petits coups, en les savourant, le cœur plein d'angoisse, de faiblesse et de gourmandise, puis de regrets, dès qu'il eut absorbé la dernière goutte.

Pierre, soudain, rencontra l'œil de Mme Rosémilly ; il était fixé sur lui limpide et bleu, clairvoyant et dur. Et il sentit, il pénétra, il devina la pensée nette qui animait ce regard, la pensée irritée de cette petite femme à l'esprit simple et droit, car ce regard disait : « Tu es jaloux, toi. C'est honteux, cela. »

Il baissa la tête en se remettant à manger.

Il n'avait pas faim, il trouvait tout mauvais. Une envie de partir le harcelait, une envie de n'être plus au milieu de ces gens, de ne plus les entendre causer, plaisanter et rire.

Cependant le père Roland, que les fumées du vin recommençaient à troubler, oubliait déjà les conseils de son fils et regardait d'un œil oblique et tendre une bouteille de champagne presque pleine encore à côté de son assiette. Il n'osait la toucher, par crainte d'admonestation [1] nouvelle, et il cherchait par quelle malice, par quelle adresse, il pourrait s'en emparer sans éveiller les remarques de Pierre. Une ruse lui vint, la plus simple de toutes : il prit la bouteille avec nonchalance et, la tenant par le fond, tendit le bras à travers la table pour emplir d'abord le verre du docteur qui était vide ; puis il fit le tour des autres verres, et quand il en vint au sien il se mit à parler très haut, et s'il versa quelque chose

---

1. Avertissement sévère.

dedans on eût juré certainement que c'était par inadvertance. Personne d'ailleurs n'y fit attention.

Pierre, sans y songer, buvait beaucoup. Nerveux et agacé, il prenait à tout instant, et portait à ses lèvres d'un geste inconscient la longue flûte de cristal où l'on voyait courir les bulles dans le liquide vivant et transparent. Il le faisait alors couler très lentement dans sa bouche pour sentir la petite piqûre sucrée du gaz évaporé sur sa langue.

Peu à peu une chaleur douce emplit son corps. Partie du ventre, qui semblait en être le foyer, elle gagnait la poitrine, envahissait les membres, se répandait dans toute la chair, comme une onde tiède et bienfaisante portant de la joie avec elle. Il se sentait mieux, moins impatient, moins mécontent ; et sa résolution de parler à son frère ce soir-là même s'affaiblissait, non pas que la pensée d'y renoncer l'eût effleuré, mais pour ne point troubler si vite le bien-être qu'il sentait en lui.

Beausire se leva afin de porter un toast.

Ayant salué à la ronde il prononça :

— Très gracieuses dames, Messeigneurs, nous sommes réunis pour célébrer un événement heureux qui vient de frapper un de nos amis. On disait autrefois que la fortune était aveugle, je crois qu'elle était simplement myope ou malicieuse et qu'elle vient de faire emplette d'une excellente jumelle marine, qui lui a permis de distinguer dans le port du Havre le fils de notre brave camarade Roland, capitaine de la *Perle*.

Des bravos jaillirent des bouches, soutenus par des battements de mains ; et Roland père se leva pour répondre.

Après avoir toussé, car il sentait sa gorge grasse et sa langue un peu lourde, il bégaya :

— Merci, capitaine, merci pour moi et mon fils. Je n'oublierai jamais votre conduite en cette circonstance. Je bois à vos désirs.

Il avait les yeux et le nez pleins de larmes, et il se rassit, ne trouvant plus rien.

Jean, qui riait, prit la parole à son tour :

— C'est moi, dit-il, qui dois remercier ici les amis dévoués, les amis excellents (il regardait Mme Rosémilly), qui me donnent aujourd'hui cette preuve touchante de leur affection. Mais ce n'est point par des paroles que je peux leur témoigner ma reconnaissance. Je la leur prouverai demain, à tous les instants de ma vie, toujours, car notre amitié n'est point de celles qui passent.

Sa mère, fort émue, murmura :

— Très bien, mon enfant.

Mais Beausire s'écriait :

— Allons, madame Rosémilly, parlez au nom du beau sexe.

Elle leva son verre, et, d'une voix gentille, un peu nuancée de tristesse :

— Moi, dit-elle, je bois à la mémoire bénie de M. Maréchal.

Il y eut quelques secondes d'accalmie, de recueillement décent, comme après une prière, et Beausire, qui avait le compliment coulant, fit cette remarque :

— Il n'y a que les femmes pour trouver de ces délicatesses.

Puis se tournant vers Roland père :

— Au fond, qu'est-ce que c'était que ce Maréchal ? Vous étiez donc bien intimes avec lui ?

Le vieux, attendri par l'ivresse, se mit à pleurer, et d'une voix bredouillante :

— Un frère... vous savez... un de ceux qu'on ne retrouve plus... nous ne nous quittions pas... il dînait à la maison tous les soirs... et il nous payait de petites fêtes au théâtre... je ne vous dis que ça... que ça... que ça... Un ami, un vrai... un vrai... n'est-ce pas, Louise ?

Sa femme répondit simplement :

— Oui, c'était un fidèle ami.

Pierre regardait son père et sa mère, mais comme on parla d'autre chose, il se remit à boire.

De la fin de cette soirée il n'eut guère de souvenir. On avait pris le café, absorbé des liqueurs, et beaucoup ri en plaisantant. Puis il se coucha, vers minuit, l'esprit confus et la tête lourde. Et il dormit comme une brute jusqu'à neuf heures le lendemain.

4

Ce sommeil baigné de champagne et de chartreuse[1] l'avait sans doute adouci et calmé, car il s'éveilla en des dispositions d'âme très bienveillantes. Il appréciait, pesait et résumait, en s'habillant, ses émotions de la veille, cherchant à en dégager bien nettement et bien complètement les causes réelles, secrètes, les causes personnelles en même temps que les causes extérieures.

Il se pouvait en effet que la fille de brasserie eût eu une mauvaise pensée, une vraie pensée de prostituée, en apprenant qu'un seul des fils Roland héritait d'un inconnu ; mais ces créatures-là n'ont-elles pas toujours des soupçons pareils, sans l'ombre d'un motif, sur toutes les honnêtes femmes ? Ne les entend-on pas, chaque fois qu'elles parlent, injurier, calomnier, diffamer toutes celles qu'elles devinent irréprochables ? Chaque fois qu'on cite devant elles une personne inattaquable, elles se fâchent, comme si on les outrageait, et s'écrient : «Ah ! tu sais, je les connais tes femmes mariées, c'est du propre ! Elles ont plus d'amants que nous, seulement elles les cachent parce qu'elles sont hypocrites. Ah ! oui, c'est du propre !»

En toute autre occasion il n'aurait certes pas compris, pas

1. Liqueur.

même supposé possibles des insinuations de cette nature sur sa pauvre mère, si bonne, si simple, si digne. Mais il avait l'âme troublée par ce levain [1] de jalousie qui fermentait en lui. Son esprit surexcité, à l'affût pour ainsi dire, et malgré lui, de tout ce qui pouvait nuire à son frère, avait même peut-être prêté à cette vendeuse de bocks des intentions odieuses qu'elle n'avait pas eues. Il se pouvait que son imagination seule, cette imagination qu'il ne gouvernait point, qui échappait sans cesse à sa volonté, s'en allait libre, hardie, aventureuse et sournoise dans l'univers infini des idées, et en rapportait parfois d'inavouables, de honteuses, qu'elle cachait en lui, au fond de son âme, dans les replis insondables, comme des choses volées; il se pouvait que cette imagination seule eût créé, inventé cet affreux doute. Son cœur, assurément, son propre cœur avait des secrets pour lui; et ce cœur blessé n'avait-il pas trouvé dans ce doute abominable un moyen de priver son frère de cet héritage qu'il jalousait. Il se suspectait lui-même, à présent, interrogeant, comme les dévots [2] leur conscience, tous les mystères de sa pensée.

Certes, Mme Rosémilly, bien que son intelligence fût limitée, avait le tact, le flair et le sens subtil des femmes. Or cette idée ne lui était pas venue, puisqu'elle avait bu, avec une simplicité parfaite, à la mémoire bénie de feu Maréchal. Elle n'aurait point fait cela, elle, si le moindre soupçon l'eût effleurée. Maintenant il ne doutait plus, son mécontentement involontaire de la fortune tombée sur son frère et aussi, assurément, son amour religieux pour sa mère avaient exalté ses scrupules, scrupules pieux et respectables, mais exagérés.

En formulant cette conclusion, il fut content, comme on l'est d'une bonne action accomplie, et il se résolut à se mon-

---

1. Ici, ce qui avive.
2. Ceux qui sont attachés à la religion.

trer gentil pour tout le monde, en commençant par son père dont les manies, les affirmations niaises, les opinions vulgaires et la médiocrité trop visible l'irritaient sans cesse.

Il ne rentra pas en retard à l'heure du déjeuner et il amusa toute sa famille par son esprit et sa bonne humeur.

Sa mère lui disait, ravie :

— Mon Pierrot, tu ne te doutes pas comme tu es drôle et spirituel, quand tu veux bien.

Et il parlait, trouvait des mots, faisait rire par des portraits ingénieux de leurs amis. Beausire lui servit de cible, et un peu Mme Rosémilly, mais d'une façon discrète, pas trop méchante. Et il pensait, en regardant son frère : « Mais défends-la donc, jobard ; tu as beau être riche, je t'éclipserai toujours quand il me plaira. »

Au café, il dit à son père :

— Est-ce que tu te sers de la *Perle* aujourd'hui ?

— Non, mon garçon.

— Je peux la prendre avec Jean-Bart ?

— Mais oui, tant que tu voudras.

Il acheta un bon cigare, au premier débit de tabac rencontré, et il descendit, d'un pied joyeux, vers le port.

Il regardait le ciel clair, lumineux, d'un bleu léger, rafraîchi, lavé par la brise de la mer.

Le matelot Papagris, dit Jean-Bart, sommeillait au fond de la barque qu'il devait tenir prête à sortir tous les jours à midi, quand on n'allait pas à la pêche le matin.

— À nous deux, patron ! cria Pierre.

Il descendit l'échelle de fer du quai et sauta dans l'embarcation.

— Quel vent ? dit-il.

— Toujours vent d'amont[1], m'sieu Pierre. J'avons bonne brise au large.

---

1. Vent venant de l'intérieur des terres.

— Eh bien ! mon père, en route.

Ils hissèrent la misaine [1], levèrent l'ancre, et le bateau, libre, se mit à glisser lentement vers la jetée sur l'eau calme du port. Le faible souffle d'air venu par les rues tombait sur le haut de la voile, si doucement qu'on ne sentait rien, et la *Perle* semblait animée d'une vie propre, de la vie des barques, poussée par une force mystérieuse cachée en elle. Pierre avait pris la barre et, le cigare aux dents, les jambes allongées sur le banc, les yeux mi-fermés sous les rayons aveuglants du soleil, il regardait passer contre lui les grosses pièces de bois goudronné du brise-lames.

Quand ils débouchèrent en pleine mer, en atteignant la pointe de la jetée nord qui les abritait, la brise, plus fraîche, glissa sur le visage et sur les mains du docteur comme une caresse un peu froide, entra dans sa poitrine qui s'ouvrit, en un long soupir, pour la boire, et, enflant la voile brune qui s'arrondit, fit s'incliner la *Perle* et la rendit plus alerte.

Jean-Bart tout à coup hissa le foc [2], dont le triangle, plein de vent, semblait une aile, puis gagnant l'arrière en deux enjambées il dénoua le tapecul [3] amarré contre son mât.

Alors, sur le flanc de la barque couchée brusquement, et courant maintenant de toute sa vitesse, ce fut un bruit doux et vif d'eau qui bouillonne et qui fuit.

L'avant ouvrait la mer, comme le soc d'une charrue folle, et l'onde soulevée, souple et blanche d'écume, s'arrondissait et retombait, comme retombe brune et lourde, la terre labourée des champs.

À chaque vague rencontrée, — elles étaient courtes et rapprochées, — une secousse secouait la *Perle* du bout du foc au gouvernail qui frémissait dans la main de Pierre ; et

---

1. Voile basse de l'avant du bateau.
2. Voile triangulaire, toujours à l'avant.
3. Petite voile arrière.

quand le vent, pendant quelques secondes, soufflait plus fort, les flots effleuraient le bordage comme s'ils allaient envahir la barque. Un vapeur charbonnier de Liverpool était à l'ancre attendant la marée ; ils allèrent tourner par derrière, puis ils visitèrent, l'un après l'autre, les navires en rade, puis ils s'éloignèrent un peu plus pour voir se dérouler la côte.

Pendant trois heures, Pierre, tranquille, calme et content, vagabonda sur l'eau frémissante, gouvernant, comme une bête ailée, rapide et docile, cette chose de bois et de toile qui allait et venait à son caprice, sous une pression de ses doigts.

Il rêvassait, comme on rêvasse sur le dos d'un cheval ou sur le pont d'un bateau, pensant à son avenir, qui serait beau, et à la douceur de vivre avec intelligence. Dès le lendemain il demanderait à son frère de lui prêter, pour trois mois, quinze cents francs afin de s'installer tout de suite dans le joli appartement du boulevard François-Iᵉʳ.

Le matelot dit tout à coup :

— V'là d'la brume, m'sieu Pierre, faut rentrer.

Il leva les yeux et aperçut vers le nord une ombre grise, profonde et légère, noyant le ciel et couvrant la mer, accourant vers eux, comme un nuage tombé d'en haut.

Il vira de bord, et, vent arrière, fit route vers la jetée, suivi par la brume rapide qui le gagnait. Lorsqu'elle atteignit la *Perle*, l'enveloppant dans son imperceptible épaisseur, un frisson de froid courut sur les membres de Pierre, et une odeur de fumée et de moisissure, l'odeur bizarre des brouillards marins, lui fit fermer la bouche pour ne point goûter cette nuée humide et glacée. Quand la barque reprit dans le port sa place accoutumée, la ville entière était ensevelie déjà sous cette vapeur menue, qui, sans tomber, mouillait comme une pluie et glissait sur les maisons et les rues à la façon d'un fleuve qui coule.

Pierre, les pieds et les mains gelés, rentra vite, et se jeta sur son lit pour sommeiller jusqu'au dîner.

Lorsqu'il parut dans la salle à manger, sa mère disait à Jean :

— La galerie sera ravissante. Nous y mettrons des fleurs. Tu verras. Je me chargerai de leur entretien et de leur renouvellement. Quand tu donneras des fêtes, ça aura un coup d'œil féerique.

— De quoi parlez-vous donc ? demanda le docteur.

— D'un appartement délicieux que je viens de louer pour ton frère. Une trouvaille, un entresol donnant sur deux rues. Il a deux salons, galerie vitrée et une petite salle à manger en rotonde, tout à fait coquette pour un garçon.

Pierre pâlit. Une colère lui serrait le cœur.

— Où est-ce situé, cela ? dit-il.

— Boulevard François-Ier.

Il n'eut plus de doute et s'assit, tellement exaspéré qu'il avait envie de crier : « C'est trop fort à la fin ! Il n'y en a donc plus que pour lui ! »

Sa mère, radieuse, parlait toujours :

— Et figure-toi que j'ai eu cela pour deux mille huit cents francs. On en voulait trois mille, mais j'ai obtenu deux cents francs de diminution en faisant un bail de trois, six ou neuf ans. Ton frère sera parfaitement là-dedans. Il suffit d'un intérieur élégant pour faire la fortune d'un avocat. Cela attire le client, le séduit, le retient, lui donne du respect et lui fait comprendre qu'un homme ainsi logé fait payer cher ses paroles.

Elle se tut quelques secondes, et reprit :

— Il faudrait trouver quelque chose d'approchant pour toi, bien plus modeste puisque tu n'as rien, mais assez gentil tout de même. Je t'assure que cela te servirait beaucoup.

Pierre répondit d'un ton dédaigneux :

— Oh! moi, c'est par le travail et la science que j'arriverai.

Sa mère insista :

— Oui, mais je t'assure qu'un joli logement te servirait beaucoup tout de même.

Vers le milieu du repas il demanda tout à coup :

— Comment l'aviez-vous connu, ce Maréchal ?

Le père Roland leva la tête et chercha dans ses souvenirs :

— Attends, je ne me rappelle plus trop. C'est si vieux. Ah! oui, j'y suis. C'est ta mère qui a fait sa connaissance dans la boutique, n'est-ce pas, Louise ? Il était venu commander quelque chose, et puis il est revenu souvent. Nous l'avons connu comme client avant de le connaître comme ami.

Pierre, qui mangeait des flageolets et les piquait un à un avec une pointe de sa fourchette, comme s'il les eût embrochés, reprit :

— À quelle époque ça s'est-il fait, cette connaissance-là ?

Roland chercha de nouveau, mais ne se souvenant plus de rien, il fit appel à la mémoire de sa femme :

— En quelle année, voyons, Louise, tu ne dois pas avoir oublié, toi qui as un si bon souvenir ? Voyons, c'était en... en... en cinquante-cinq ou cinquante-six ?... Mais cherche donc, tu dois le savoir mieux que moi ?

Elle chercha quelque temps en effet, puis d'une voix sûre et tranquille :

— C'était en cinquante-huit, mon gros. Pierre avait alors trois ans [1]. Je suis bien certaine de ne pas me tromper, car c'est l'année où l'enfant eut la fièvre scarlatine, et Maréchal, que nous connaissions encore très peu, nous a été d'un grand secours.

_____

1. Pierre ayant trente ans, nous sommes donc en 1885.

Roland s'écria :

— C'est vrai, c'est vrai, il a été admirable, même ! Comme ta mère n'en pouvait plus de fatigue et que moi j'étais occupé à la boutique, il allait chez le pharmacien chercher tes médicaments. Vraiment, c'était un brave cœur. Et quand tu as été guéri, tu ne te figures pas comme il fut content et comme il t'embrassait. C'est à partir de ce moment-là que nous sommes devenus de grands amis.

Et cette pensée brusque, violente, entra dans l'âme de Pierre comme une balle qui troue et déchire : « Puisqu'il m'a connu le premier, qu'il fut si dévoué pour moi, puisqu'il m'aimait et m'embrassait tant, puisque je suis la cause de sa grande liaison avec mes parents, pourquoi a-t-il laissé toute sa fortune à mon frère et rien à moi ? »

Il ne posa plus de questions et demeura sombre, absorbé plutôt que songeur, gardant en lui une inquiétude nouvelle, encore indécise, le germe secret d'un nouveau mal.

Il sortit de bonne heure et se remit à rôder par les rues. Elles étaient ensevelies sous le brouillard qui rendait pesante, opaque et nauséabonde la nuit. On eût dit une fumée pestilentielle abattue sur la terre. On la voyait passer sur les becs de gaz qu'elle paraissait éteindre par moments. Les pavés des rues devenaient glissants comme par les soirs de verglas, et toutes les mauvaises odeurs semblaient sortir du ventre des maisons, puanteurs des caves, des fosses, des égouts, des cuisines pauvres, pour se mêler à l'affreuse senteur de cette brume errante.

Pierre, le dos arrondi et les mains dans ses poches, ne voulant point rester dehors par ce froid, se rendit chez Marowsko.

Sous le bec de gaz qui veillait pour lui, le vieux pharmacien dormait toujours. En reconnaissant Pierre, qu'il aimait d'un amour de chien fidèle, il secoua sa torpeur, alla chercher deux verres et apporta la groseillette.

— Eh bien ! demanda le docteur, où en êtes-vous avec votre liqueur ?

Le Polonais expliqua comment quatre des principaux cafés de la ville consentaient à la lancer dans la circulation, et comment *le Phare de la Côte* et *le Sémaphore havrais*[1] lui feraient de la réclame en échange de quelques produits pharmaceutiques mis à la disposition des rédacteurs.

Après un long silence, Marowsko demanda si Jean, décidément, était en possession de sa fortune ; puis il fit encore deux ou trois questions vagues sur le même sujet. Son dévouement ombrageux[2] pour Pierre se révoltait de cette préférence. Et Pierre croyait l'entendre penser, devinait, comprenait, lisait dans ses yeux détournés, dans le ton hésitant de sa voix, les phrases qui lui venaient aux lèvres et qu'il ne disait pas, qu'il ne dirait point, lui si prudent, si timide, si cauteleux[3].

Maintenant il ne doutait plus, le vieux pensait : « Vous n'auriez pas dû lui laisser accepter cet héritage qui fera mal parler de votre mère. » Peut-être même croyait-il que Jean était le fils de Maréchal. Certes il le croyait ! Comment ne le croirait-il pas, tant la chose devait paraître vraisemblable, probable, évidente ? Mais lui-même, lui Pierre, le fils, depuis trois jours ne luttait-il pas de toute sa force, avec toutes les subtilités de son cœur, pour tromper sa raison, ne luttait-il pas contre ce soupçon terrible ?

Et de nouveau, tout à coup, le besoin d'être seul pour songer, pour discuter cela avec lui-même, pour envisager hardiment, sans scrupules, sans faiblesse, cette chose possible et monstrueuse, entra en lui si dominateur qu'il se leva sans même boire son verre de groseillette, serra la main du

---

1. Titres inventés.
2. Susceptible.
3. Rusé et presque hypocrite.

pharmacien stupéfait et se replongea dans le brouillard de
la rue.

Il se disait : « Pourquoi ce Maréchal a-t-il laissé toute sa
fortune à Jean ? »

Ce n'était plus la jalousie maintenant qui lui faisait chercher cela, ce n'était plus cette envie un peu basse et naturelle qu'il savait cachée en lui et qu'il combattait depuis trois
jours, mais la terreur d'une chose épouvantable, la terreur
de croire lui-même que Jean, que son frère était le fils de
cet homme !

Non, il ne le croyait pas, il ne pouvait même se poser
cette question criminelle ! Cependant il fallait que ce soupçon si léger, si invraisemblable, fût rejeté de lui, complètement, pour toujours. Il lui fallait la lumière, la certitude, il
fallait dans son cœur la sécurité complète, car il n'aimait que
sa mère au monde.

Et tout seul en errant par la nuit, il allait faire, dans ses
souvenirs, dans sa raison, l'enquête minutieuse d'où résul-
terait l'éclatante vérité. Après cela ce serait fini, il n'y penserait plus, plus jamais. Il irait dormir.

Il songeait : « Voyons, examinons d'abord les faits ; puis
je me rappellerai tout ce que je sais de lui, de son allure
avec mon frère et avec moi, je chercherai toutes les causes
qui ont pu motiver cette préférence… Il a vu naître Jean ?
— oui, mais il me connaissait auparavant. — S'il avait aimé
ma mère d'un amour muet et réservé, c'est moi qu'il aurait
préféré puisque c'est grâce à moi, grâce à ma fièvre scarlatine, qu'il est devenu l'ami intime de mes parents. Donc,
logiquement, il devait me choisir, avoir pour moi une tendresse plus vive, à moins qu'il n'eût éprouvé pour mon
frère, en le voyant grandir, une attraction, une prédilection
instinctives. »

Alors il chercha dans sa mémoire, avec une tension
désespérée de toute sa pensée, de toute sa puissance intel-

lectuelle, à reconstituer, à revoir, à reconnaître, à pénétrer l'homme, cet homme qui avait passé devant lui, indifférent à son cœur, pendant toutes ses années de Paris.

Mais il sentit que la marche, le léger mouvement de ses pas, troublait un peu ses idées, dérangeait leur fixité, affaiblissait leur portée, voilait sa mémoire.

Pour jeter sur le passé et les événements inconnus ce regard aigu, à qui rien ne devait échapper, il fallait qu'il fût immobile, dans un lieu vaste et vide. Et il se décida à aller s'asseoir sur la jetée, comme l'autre nuit.

En approchant du port il entendit vers la pleine mer une plainte lamentable et sinistre, pareille au meuglement d'un taureau, mais plus longue et plus puissante. C'était le cri d'une sirène, le cri des navires perdus dans la brume.

Un frisson remua sa chair, crispa son cœur, tant il avait retenti dans son âme et dans ses nerfs, ce cri de détresse, qu'il croyait avoir jeté lui-même. Une autre voix semblable gémit à son tour, un peu plus loin ; puis, tout près, la sirène du port, leur répondant, poussa une clameur déchirante.

Pierre gagna la jetée à grands pas, ne pensant plus à rien, satisfait d'entrer dans ces ténèbres lugubres et mugissantes.

Lorsqu'il se fut assis à l'extrémité du môle[1], il ferma les yeux pour ne point voir les foyers électriques, voilés de brouillard, qui rendent le port accessible la nuit, ni le feu rouge du phare sur la jetée sud, qu'on distinguait à peine cependant. Puis se tournant à moitié, il posa ses coudes sur le granit et cacha sa figure dans ses mains.

Sa pensée, sans qu'il prononçât ce mot avec ses lèvres, répétait comme pour l'appeler, pour évoquer et provoquer son ombre : « Maréchal !… Maréchal ! » Et dans le noir de ses paupières baissées, il le vit tout à coup tel qu'il l'avait connu. C'était un homme de soixante ans, portant en pointe

1. Brise-lames (cf. note 1, page 51).

sa barbe blanche, avec des sourcils épais, tout blancs aussi. Il n'était ni grand ni petit, avait l'air affable, les yeux gris et doux, le geste modeste, l'aspect d'un brave être, simple et tendre. Il appelait Pierre et Jean «mes chers enfants», n'avait jamais paru préférer l'un ou l'autre, et les recevait ensemble à dîner.

Et Pierre, avec une ténacité de chien qui suit une piste évaporée, se mit à rechercher les paroles, les gestes, les intonations, les regards de cet homme disparu de la terre. Il le retrouvait peu à peu, tout entier, dans son appartement de la rue Tronchet[1] quand il les recevait à sa table, son frère et lui.

Deux bonnes le servaient, vieilles toutes deux, qui avaient pris, depuis bien longtemps sans doute, l'habitude de dire «monsieur Pierre» et «monsieur Jean».

Maréchal tendait ses deux mains aux jeunes gens, la droite à l'un, la gauche à l'autre, au hasard de leur entrée.

— Bonjour, mes enfants, disait-il, avez-vous des nouvelles de vos parents? Quant à moi, ils ne m'écrivent jamais.

On causait, doucement et familièrement, de choses ordinaires. Rien de hors ligne dans l'esprit de cet homme, mais beaucoup d'aménité[2], de charme et de grâce. C'était certainement pour eux un bon ami, un de ces bons amis auxquels on ne songe guère parce qu'on les sent très sûrs.

Maintenant les souvenirs affluaient dans l'esprit de Pierre. Le voyant soucieux plusieurs fois, et devinant sa pauvreté d'étudiant, Maréchal lui avait offert et prêté, spontanément, de l'argent, quelques centaines de francs peut-être, oubliées par l'un et par l'autre et jamais rendues. Donc cet homme l'aimait toujours, s'intéressait toujours à lui, puisqu'il s'inquiétait de ses besoins. Alors... alors pourquoi laisser toute

1. À Paris, près de la gare Saint-Lazare.
2. Courtoisie.

sa fortune à Jean? Non, il n'avait jamais été visiblement plus affectueux pour le cadet que pour l'aîné, plus préoccupé de l'un que de l'autre, moins tendre en apparence avec celui-ci qu'avec celui-là. Alors… alors… il avait donc eu une raison puissante et secrète de tout donner à Jean — tout — et rien à Pierre.

Plus il y songeait, plus il revivait le passé des dernières années, plus le docteur jugeait invraisemblable, incroyable cette différence établie entre eux.

Et une souffrance aiguë, une inexprimable angoisse entrée dans sa poitrine, faisait aller son cœur comme une loque agitée. Les ressorts en paraissaient brisés, et le sang y passait à flots, librement, en le secouant d'un ballottement tumultueux.

Alors, à mi-voix, comme on parle dans les cauchemars, il murmura : «Il faut savoir. Mon Dieu, il faut savoir.»

Il cherchait plus loin, maintenant, dans les temps plus anciens où ses parents habitaient Paris. Mais les visages lui échappaient, ce qui brouillait ses souvenirs. Il s'acharnait surtout à retrouver Maréchal avec des cheveux blonds, châtains ou noirs? Il ne le pouvait pas, la dernière figure de cet homme, sa figure de vieillard, ayant effacé les autres. Il se rappelait pourtant qu'il était plus mince, qu'il avait la main douce et qu'il apportait souvent des fleurs, très souvent, car son père répétait sans cesse : «Encore des bouquets! mais c'est de la folie, mon cher, vous vous ruinerez en roses.»

Maréchal répondait : «Laissez donc, cela me fait plaisir.»

Et soudain l'intonation de sa mère, de sa mère qui souriait et disait : «Merci, mon ami», lui traversa l'esprit, si nette qu'il crut l'entendre. Elle les avait donc prononcés bien souvent, ces trois mots, pour qu'ils se fussent gravés ainsi dans la mémoire de son fils!

Donc Maréchal apportait des fleurs, lui, l'homme riche,

le monsieur, le client, à cette petite boutiquière, à la femme de ce bijoutier modeste. L'avait-il aimée? Comment serait-il devenu l'ami de ces marchands s'il n'avait pas aimé la femme? C'était un homme instruit, d'esprit assez fin. Que de fois il avait parlé poètes et poésie avec Pierre! Il n'appréciait point les écrivains en artiste, mais en bourgeois qui vibre. Le docteur avait souvent souri de ces attendrissements, qu'il jugeait un peu niais. Aujourd'hui il comprenait que cet homme sentimental n'avait jamais pu, jamais, être l'ami de son père, de son père si positif[1], si terre à terre, si lourd, pour qui le mot «poésie» signifiait sottise.

Donc, ce Maréchal, jeune, libre, riche, prêt à toutes les tendresses, était entré, un jour, par hasard, dans une boutique, ayant remarqué peut-être la jolie marchande. Il avait acheté, était revenu, avait causé, de jour en jour plus familier, et payant par des acquisitions fréquentes le droit de s'asseoir dans cette maison, de sourire à la jeune femme et de serrer la main du mari.

Et puis après… après oh! mon Dieu après?…

Il avait aimé et caressé le premier enfant, l'enfant du bijoutier, jusqu'à la naissance de l'autre, puis il était demeuré impénétrable jusqu'à la mort, puis, son tombeau fermé, sa chair décomposée, son nom effacé des noms vivants, tout son être disparu pour toujours, n'ayant plus rien à ménager, à redouter et à cacher, il avait donné toute sa fortune au deuxième enfant!… Pourquoi?… Cet homme était intelligent… il avait dû comprendre et prévoir qu'il pouvait, qu'il allait presque infailliblement laisser supposer que cet enfant était à lui. — Donc il déshonorait une femme? Comment aurait-il fait cela si Jean n'était point son fils?

Et soudain un souvenir précis, terrible, traversa l'âme de Pierre. Maréchal avait été blond, blond comme Jean. Il se

---

1. Qui ne s'intéresse qu'au côté pratique des choses.

rappelait maintenant un petit portrait miniature vu autrefois, à Paris, sur la cheminée de leur salon, et disparu à présent. Où était-il ? Perdu, ou caché ? Oh ! s'il pouvait le tenir
rien qu'une seconde ! Sa mère l'avait gardé peut-être dans
le tiroir inconnu où l'on serre les reliques d'amour.

Sa détresse, à cette pensée, devint si déchirante qu'il
poussa un gémissement, une de ces courtes plaintes arra-
chées à la gorge par les douleurs trop vives. Et soudain,
comme si elle l'eût entendu, comme si elle l'eût compris et
lui eût répondu, la sirène de la jetée hurla tout près de lui.
Sa clameur de monstre surnaturel, plus retentissante que le
tonnerre, rugissement sauvage et formidable fait pour domi-
ner les voix du vent et des vagues, se répandit dans les
ténèbres sur la mer invisible ensevelie sous les brouillards.

Alors, à travers la brume, proches ou lointains, des cris
pareils s'élevèrent de nouveau dans la nuit. Ils étaient
effrayants, ces appels poussés par les grands paquebots
aveugles.

Puis tout se tut encore.

Pierre avait ouvert les yeux et regardait, surpris d'être là,
réveillé de son cauchemar.

« Je suis fou, pensa-t-il, je soupçonne ma mère. » Et un
flot d'amour et d'attendrissement, de repentir, de prière et
de désolation noya son cœur. Sa mère ! La connaissant
comme il la connaissait, comment avait-il pu la suspecter ?
Est-ce que l'âme, est-ce que la vie de cette femme simple,
chaste et loyale, n'étaient pas plus claires que l'eau ? Quand
on l'avait vue et connue, comment ne pas la juger insoup-
çonnable ? Et c'était lui, le fils, qui avait douté d'elle ! Oh !
s'il avait pu la prendre en ses bras à ce moment, comme il
l'eût embrassée, caressée, comme il se fût agenouillé pour
demander grâce !

Elle aurait trompé son père, elle ?... Son père ! Certes,
c'était un brave homme, honorable et probe en affaires,

mais dont l'esprit n'avait jamais franchi l'horizon de sa boutique. Comment cette femme, fort jolie autrefois, il le savait et on le voyait encore, douée d'une âme délicate, affectueuse, attendrie, avait-elle accepté comme fiancé et comme mari un homme si différent d'elle ?

Pourquoi chercher ? Elle avait épousé comme les fillettes épousent le garçon doté que présentent les parents. Ils s'étaient installés aussitôt dans leur magasin de la rue Montmartre ; et la jeune femme, régnant au comptoir, animée par l'esprit du foyer nouveau, par ce sens subtil et sacré de l'intérêt commun qui remplace l'amour et même l'affection dans la plupart des ménages commerçants de Paris, s'était mise à travailler avec toute son intelligence active et fine à la fortune espérée de leur maison. Et sa vie s'était écoulée ainsi, uniforme, tranquille, honnête, sans tendresse !...

Sans tendresse ?... Était-il possible qu'une femme n'aimât point ? Une femme jeune, jolie, vivant à Paris, lisant des livres, applaudissant des actrices mourant de passion sur la scène, pouvait-elle aller de l'adolescence à la vieillesse sans qu'une fois seulement, son cœur fût touché ? D'une autre il ne le croirait pas, — pourquoi le croirait-il de sa mère ?

Certes, elle avait pu aimer, comme une autre ! car pourquoi serait-elle différente d'une autre, bien qu'elle fût sa mère ?

Elle avait été jeune, avec toutes les défaillances poétiques qui troublent le cœur des jeunes êtres ! Enfermée, emprisonnée dans la boutique à côté d'un mari vulgaire et parlant toujours commerce, elle avait rêvé de clairs de lune, de voyages, de baisers donnés dans l'ombre des soirs. Et puis un homme, un jour, était entré comme entrent les amoureux dans les livres, et il avait parlé comme eux.

Elle l'avait aimé. Pourquoi pas ? C'était sa mère ! Eh bien ! fallait-il être aveugle et stupide au point de rejeter l'évidence parce qu'il s'agissait de sa mère ?

S'était-elle donnée?... Mais oui, puisque cet homme n'avait pas eu d'autre amie; — mais oui, puisqu'il était resté fidèle à la femme éloignée et vieillie, — mais oui, puisqu'il avait laissé toute sa fortune à son fils, à leur fils!...

Et Pierre se leva, frémissant d'une telle fureur qu'il eût voulu tuer quelqu'un! Son bras tendu, sa main grande ouverte avaient envie de frapper, de meurtrir, de broyer, d'étrangler! Qui? tout le monde, son père, son frère, le mort, sa mère!

Il s'élança pour rentrer. Qu'allait-il faire?

Comme il passait devant une tourelle auprès du mât des signaux, le cri strident de la sirène lui partit dans la figure. Sa surprise fut si violente qu'il faillit tomber et recula jusqu'au parapet de granit. Il s'y assit, n'ayant plus de force, brisé par cette commotion[1].

Le vapeur qui répondit le premier semblait tout proche et se présentait à l'entrée, la marée étant haute.

Pierre se retourna et aperçut son œil rouge, terni de brume. Puis, sous la clarté diffuse des feux électriques du port, une grande ombre noire se dessina entre les deux jetées. Derrière lui, la voix du veilleur, voix enrouée de vieux capitaine en retraite, criait :

— Le nom du navire?

Et dans le brouillard la voix du pilote debout sur le pont, enrouée aussi, répondit :

— *Santa-Lucia.*

— Le pays?

— Italie.

— Le port?

— Naples.

Et Pierre devant ses yeux troublés crut apercevoir le panache de feu du Vésuve tandis qu'au pied du volcan, des

---

1. Choc.

lucioles¹ voltigeaient dans les bosquets d'orangers de Sorrente ou de Castellamare! Que de fois il avait rêvé de ces noms familiers, comme s'il en connaissait les paysages. Oh! s'il avait pu partir, tout de suite, n'importe où, et ne jamais revenir, ne jamais écrire, ne jamais laisser savoir ce qu'il était devenu! Mais non, il fallait rentrer, rentrer dans la maison paternelle et se coucher dans son lit.

Tant pis, il ne rentrerait pas, il attendrait le jour. La voix des sirènes lui plaisait. Il se releva et se mit à marcher comme un officier qui fait le quart sur un pont.

Un autre navire s'approchait derrière le premier, énorme et mystérieux. C'était un anglais qui revenait des Indes.

Il en vit venir encore plusieurs, sortant l'un après l'autre de l'ombre impénétrable. Puis, comme l'humidité du brouillard devenait intolérable, Pierre se remit en route vers la ville. Il avait si froid qu'il entra dans un café de matelots pour boire un grog; et quand l'eau-de-vie poivrée et chaude lui eut brûlé le palais et la gorge, il sentit en lui renaître un espoir.

Il s'était trompé, peut-être? Il la connaissait si bien, sa déraison vagabonde! Il s'était trompé sans doute? Il avait accumulé les preuves ainsi qu'on dresse un réquisitoire contre un innocent toujours facile à condamner quand on veut le croire coupable. Lorsqu'il aurait dormi, il penserait tout autrement. Alors il rentra pour se coucher, et, à force de volonté, il finit par s'assoupir.

---

1. Insectes lumineux.

5

Mais le corps du docteur s'engourdit à peine une heure ou deux dans l'agitation d'un sommeil troublé. Quand il se réveilla, dans l'obscurité de sa chambre chaude et fermée, il ressentit, avant même que la pensée se fût rallumée en lui, cette oppression douloureuse, ce malaise de l'âme que laisse en nous le chagrin sur lequel on a dormi. Il semble que le malheur, dont le choc nous a seulement heurté la veille, se soit glissé, durant notre repos, dans notre chair elle-même, qu'il meurtrit et fatigue comme une fièvre. Brusquement le souvenir lui revint, et il s'assit dans son lit.

Alors il recommença lentement, un à un, tous les raisonnements qui avaient torturé son cœur sur la jetée pendant que criaient les sirènes. Plus il songeait, moins il doutait. Il se sentait traîné par sa logique, comme par une main qui attire et étrangle vers l'intolérable certitude.

Il avait soif, il avait chaud, son cœur battait. Il se leva pour ouvrir sa fenêtre et respirer, et, quand il fut debout, un bruit léger lui parvint à travers le mur.

Jean dormait tranquille et ronflait doucement. Il dormait, lui ! Il n'avait rien pressenti, rien deviné ! Un homme qui avait connu leur mère lui laissait toute sa fortune. Il prenait l'argent, trouvant cela juste et naturel.

Il dormait, riche et satisfait, sans savoir que son frère

haletait de souffrance et de détresse. Et une colère se levait en lui contre ce ronfleur insouciant et content.

La veille, il eût frappé contre sa porte, serait entré, et, assis près du lit, lui aurait dit dans l'effarement de son réveil subit : « Jean, tu ne dois pas garder ce legs qui pourrait demain faire suspecter notre mère et la déshonorer. »

Mais aujourd'hui il ne pouvait plus parler, il ne pouvait pas dire à Jean qu'il ne le croyait point le fils de leur père. Il fallait à présent garder, enterrer en lui cette honte découverte par lui, cacher à tous la tache aperçue, et que personne ne devait découvrir, pas même son frère, surtout son frère.

Il ne songeait plus guère maintenant au vain respect de l'opinion publique. Il aurait voulu que tout le monde accusât sa mère pourvu qu'il la sût innocente, lui, lui seul ! Comment pourrait-il supporter de vivre près d'elle, tous les jours, et de croire, en la regardant, qu'elle avait enfanté son frère de la caresse d'un étranger ?

Comme elle était calme et sereine pourtant, comme elle paraissait sûre d'elle ! Était-il possible qu'une femme comme elle, d'une âme pure et d'un cœur droit, pût tomber, entraînée par la passion, sans que, plus tard, rien n'apparût de ses remords, des souvenirs de sa conscience troublée ?

Ah ! les remords ! les remords ! ils avaient dû, jadis, dans les premiers temps, la torturer, puis ils s'étaient effacés, comme tout s'efface. Certes, elle avait pleuré sa faute, et, peu à peu, l'avait presque oubliée. Est-ce que toutes les femmes, toutes, n'ont pas cette faculté d'oubli prodigieuse qui leur fait reconnaître à peine, après quelques années passées, l'homme à qui elles ont donné leur bouche et tout leur corps à baiser ? Le baiser frappe comme la foudre, l'amour passe comme un orage, puis la vie, de nouveau, se calme comme le ciel, et recommence ainsi qu'avant. Se souvient-on d'un nuage ?

Pierre ne pouvait plus demeurer dans sa chambre! Cette maison, la maison de son père l'écrasait. Il sentait peser le toit sur sa tête et les murs l'étouffer. Et comme il avait très soif, il alluma sa bougie afin d'aller boire un verre d'eau fraîche au filtre de la cuisine.

Il descendit les deux étages, puis, comme il remontait avec la carafe pleine, il s'assit en chemise sur une marche de l'escalier où circulait un courant d'air, et il but, sans verre, par longues gorgées, comme un coureur essoufflé. Quand il eut cessé de remuer, le silence de cette demeure l'émut; puis, un à un, il en distingua les moindres bruits. Ce fut d'abord l'horloge de la salle à manger dont le battement lui paraissait grandir de seconde en seconde. Puis il entendit de nouveau un ronflement, un ronflement de vieux, court, pénible et dur, celui de son père sans aucun doute; et il fut crispé par cette idée, comme si elle venait seulement de jaillir en lui, que ces deux hommes qui ronflaient dans ce même logis, le père et le fils, n'étaient rien l'un à l'autre! Aucun lien, même le plus léger, ne les unissait, et ils ne le savaient pas! Ils se parlaient avec tendresse, ils s'embrassaient, se réjouissaient et s'attendrissaient ensemble des mêmes choses, comme si le même sang eût coulé dans leurs veines. Et deux personnes nées aux deux extrémités du monde ne pouvaient pas être plus étrangères l'une à l'autre que ce père et que ce fils. Ils croyaient s'aimer parce qu'un mensonge avait grandi entre eux. C'était un mensonge qui faisait cet amour paternel et cet amour filial, un mensonge impossible à dévoiler et que personne ne connaîtrait jamais que lui, le vrai fils.

Pourtant, pourtant, s'il se trompait? Comment le savoir? Ah! si une ressemblance, même légère, pouvait exister entre son père et Jean, une de ces ressemblances mystérieuses qui vont de l'aïeul aux arrière-petits-fils, montrant que toute une race descend directement du même baiser.

Il aurait fallu si peu de chose, à lui médecin, pour reconnaître cela, la forme de la mâchoire, la courbure du nez, l'écartement des yeux, la nature des dents ou des poils, moins encore, un geste, une habitude, une manière d'être, un goût transmis, un signe quelconque bien caractéristique pour un œil exercé.

Il cherchait et ne se rappelait rien, non, rien. Mais il avait mal regardé, mal observé, n'ayant aucune raison pour découvrir ces imperceptibles indications.

Il se leva pour rentrer dans sa chambre et se mit à monter l'escalier, à pas lents, songeant toujours. En passant devant la porte de son frère, il s'arrêta net, la main tendue pour l'ouvrir. Un désir impérieux venait de surgir en lui de voir Jean tout de suite, de le regarder longuement, de le surprendre pendant le sommeil, pendant que la figure apaisée, que les traits détendus se reposent, que toute la grimace de la vie a disparu. Il saisirait ainsi le secret dormant de sa physionomie ; et si quelque ressemblance existait, appréciable, elle ne lui échapperait pas.

Mais si Jean s'éveillait, que dirait-il ? Comment expliquer cette visite ?

Il demeurait debout, les doigts crispés sur la serrure et cherchant une raison, un prétexte.

Il se rappela tout à coup que, huit jours plus tôt, il avait prêté à son frère une fiole de laudanum [1] pour calmer une rage de dents. Il pouvait lui-même souffrir, cette nuit-là, et venir réclamer sa drogue. Donc il entra, mais d'un pied furtif, comme un voleur.

Jean, la bouche entrouverte, dormait d'un sommeil animal et profond. Sa barbe et ses cheveux blonds faisaient une tache d'or sur le linge blanc. Il ne s'éveilla point, mais il cessa de ronfler.

---

1. Médicament soporifique qui contient de l'opium.

Pierre, penché vers lui, le contemplait d'un œil avide. Non, ce jeune homme-là ne ressemblait pas à Roland ; et, pour la seconde fois, s'éveilla dans son esprit le souvenir du petit portrait disparu de Maréchal. Il fallait qu'il le trouvât ! En le voyant, peut-être, il ne douterait plus.

Son frère remua, gêné sans doute par sa présence, ou par la lueur de sa bougie pénétrant ses paupières. Alors le docteur recula, sur la pointe des pieds, vers la porte, qu'il referma sans bruit ; puis il retourna dans sa chambre, mais il ne se coucha pas.

Le jour fut lent à venir. Les heures sonnaient, l'une après l'autre, à la pendule de la salle à manger, dont le timbre avait un son profond et grave, comme si ce petit instrument d'horlogerie eût avalé une cloche de cathédrale. Elles montaient, dans l'escalier vide, traversaient les murs et les portes, allaient mourir au fond des chambres dans l'oreille inerte des dormeurs. Pierre s'était mis à marcher de long en large, de son lit à sa fenêtre. Qu'allait-il faire ? Il se sentait trop bouleversé pour passer ce jour-là dans sa famille. Il voulait encore rester seul, au moins jusqu'au lendemain, pour réfléchir, se calmer, se fortifier pour la vie de chaque jour qu'il lui faudrait reprendre.

Eh bien ! il irait à Trouville, voir grouiller la foule sur la plage. Cela le distrairait, changerait l'air de sa pensée, lui donnerait le temps de se préparer à l'horrible chose qu'il avait découverte.

Dès que l'aurore parut, il fit sa toilette et s'habilla. Le brouillard s'était dissipé, il faisait beau, très beau. Comme le bateau de Trouville ne quittait le port qu'à neuf heures le docteur songea qu'il lui faudrait embrasser sa mère avant de partir.

Il attendit le moment où elle se levait tous les jours, puis il descendit. Son cœur battait si fort en touchant sa porte qu'il s'arrêta pour respirer. Sa main, posée sur la serrure, était molle et vibrante, presque incapable du léger effort de tourner le bouton pour entrer. Il frappa. La voix de sa mère demanda :

— Qui est-ce ?

— Moi, Pierre.

— Qu'est-ce que tu veux ?

— Te dire bonjour parce que je vais passer la journée à Trouville avec des amis.

— C'est que je suis encore au lit.

— Bon, alors ne te dérange pas. Je t'embrasserai en rentrant, ce soir.

Il espéra qu'il pourrait partir sans la voir, sans poser sur ses joues le baiser faux qui lui soulevait le cœur d'avance.

Mais elle répondit :

— Un moment, je t'ouvre. Tu attendras que je me sois recouchée.

Il entendit ses pieds nus sur le parquet puis le bruit du verrou glissant. Elle cria :

— Entre.

Il entra. Elle était assise dans son lit tandis qu'à son côté, Roland, un foulard sur la tête et tourné vers le mur, s'obstinait à dormir. Rien ne l'éveillait tant qu'on ne l'avait pas secoué à lui arracher le bras. Les jours de pêche, c'était la bonne, sonnée à l'heure convenue par le matelot Papagris, qui venait tirer son maître de cet invincible repos.

Pierre, en allant vers elle, regardait sa mère ; et il lui sembla tout à coup qu'il ne l'avait jamais vue.

Elle lui tendit ses joues, il y mit deux baisers, puis s'assit sur une chaise basse.

— C'est hier soir que tu as décidé cette partie ? dit-elle.

— Oui, hier soir.

— Tu reviens pour dîner ?

— Je ne sais pas encore. En tout cas, ne m'attendez point.

Il l'examinait avec une curiosité stupéfaite. C'était sa mère, cette femme ! Toute cette figure, vue dès l'enfance, dès que son œil avait pu distinguer, ce sourire, cette voix si connue, si familière, lui paraissaient brusquement nouveaux et autres de ce qu'ils avaient été jusque-là pour lui. Il comprenait à présent que, l'aimant, il ne l'avait jamais regardée. C'était bien elle pourtant, et il n'ignorait rien des plus petits détails de son visage ; mais ces petits détails il les apercevait nettement pour la première fois. Son attention anxieuse, fouillant cette tête chérie, la lui révélait différente, avec une physionomie qu'il n'avait jamais découverte.

Il se leva pour partir, puis, cédant soudain à l'invincible envie de savoir qui lui mordait le cœur depuis la veille :

— Dis donc, j'ai cru me rappeler qu'il y avait autrefois, à Paris, un petit portrait de Maréchal dans notre salon.

Elle hésita une seconde ou deux ; ou du moins il se figura qu'elle hésitait ; puis elle dit :

— Mais oui.

— Et qu'est-ce qu'il est devenu, ce portrait ?

Elle aurait pu encore répondre plus vite :

— Ce portrait... attends... je ne sais pas trop... Peut-être que je l'ai dans mon secrétaire.

— Tu serais bien aimable de le retrouver.

— Oui, je chercherai. Pourquoi le veux-tu ?

— Oh ! ce n'est pas pour moi. J'ai songé qu'il serait tout naturel de le donner à Jean, et que cela ferait plaisir à mon frère.

— Oui, tu as raison, c'est une bonne pensée. Je vais le chercher dès que je serai levée.

Et il sortit.

C'était un jour bleu, sans un souffle d'air. Les gens dans la rue semblaient gais, les commerçants allant à leurs affaires, les employés allant à leur bureau, les jeunes filles allant à leur magasin. Quelques-uns chantonnaient, mis en joie par la clarté.

Sur le bateau de Trouville, les passagers montaient déjà. Pierre s'assit, tout à l'arrière, sur un banc de bois.

Il se demandait :

— A-t-elle été inquiétée par ma question sur le portrait, ou seulement surprise ? L'a-t-elle égaré ou caché ? Sait-elle où il est, ou bien ne sait-elle pas ? Si elle l'a caché, pourquoi ?

Et son esprit, suivant toujours la même marche, de déduction en déduction, conclut ceci :

Le portrait, portrait d'ami, portrait d'amant, était resté dans le salon bien en vue, jusqu'au jour où la femme, où la mère s'était aperçue, la première, avant tout le monde, que ce portrait ressemblait à son fils. Sans doute, depuis longtemps, elle épiait cette ressemblance ; puis, l'ayant découverte, l'ayant vue naître et comprenant que chacun pourrait, un jour ou l'autre, l'apercevoir aussi, elle avait enlevé, un soir, la petite peinture redoutable et l'avait cachée, n'osant pas la détruire.

Et Pierre se rappelait fort bien maintenant que cette miniature avait disparu longtemps, longtemps avant leur départ de Paris ! Elle avait disparu, croyait-il, quand la barbe de Jean, se mettant à pousser, l'avait rendu tout à coup pareil au jeune homme blond qui souriait dans le cadre.

Le mouvement du bateau qui partait troubla sa pensée et la dispersa ! Alors, s'étant levé, il regarda la mer.

Le petit paquebot sortit des jetées, tourna à gauche et soufflant, haletant, frémissant, s'en alla vers la côte lointaine qu'on apercevait dans la brume matinale. De place en place la voile rouge d'un lourd bateau de pêche immobile sur la mer plate avait l'air d'un gros rocher sortant de l'eau. Et la Seine descendant de Rouen semblait un large bras de mer séparant deux terres voisines.

En moins d'une heure on parvint au port de Trouville, et comme c'était le moment du bain, Pierre se rendit sur la plage.

De loin, elle avait l'air d'un long jardin plein de fleurs éclatantes. Sur la grande dune de sable jaune, depuis la jetée jusqu'aux Roches-Noires, les ombrelles de toutes les couleurs, les chapeaux de toutes les formes, les toilettes de toutes les nuances, par groupes devant les cabines, par lignes le long du flot ou dispersés çà et là, ressemblaient vraiment à des bouquets énormes dans une prairie démesurée. Et le bruit confus, proche et lointain des voix égrenées dans l'air léger, les appels, les cris d'enfants qu'on baigne, les rires clairs des femmes faisaient une rumeur continue et douce, mêlée à la brise insensible et qu'on aspirait avec elle.

Pierre marchait au milieu de ces gens, plus perdu, plus séparé d'eux, plus isolé, plus noyé dans sa pensée torturante, que si on l'avait jeté à la mer du pont d'un navire, à cent lieues au large. Il les frôlait, entendait, sans écouter, quelques phrases ; et il voyait, sans regarder, les hommes parler aux femmes et les femmes sourire aux hommes.

Mais tout à coup, comme s'il s'éveillait, il les aperçut distinctement ; et une haine surgit en lui contre eux, car ils semblaient heureux et contents.

Il allait maintenant, frôlant les groupes, tournant autour, saisi par des pensées nouvelles. Toutes ces toilettes multicolores qui couvraient le sable comme un bouquet, ces étoffes jolies, ces ombrelles voyantes, la grâce factice des tailles emprisonnées, toutes ces inventions ingénieuses de la mode depuis la chaussure mignonne jusqu'au chapeau extravagant, la séduction du geste, de la voix et du sourire, la coquetterie enfin étalée sur cette plage lui apparaissaient soudain comme une immense floraison de la perversité féminine. Toutes ces femmes parées voulaient plaire, séduire, et tenter quelqu'un. Elles s'étaient faites belles pour les hommes, pour tous les hommes, excepté pour l'époux qu'elles n'avaient plus besoin de conquérir. Elles s'étaient faites belles pour l'amant d'aujourd'hui et l'amant de demain, pour l'inconnu rencontré, remarqué, attendu peut-être.

Et ces hommes, assis près d'elles, les yeux dans les yeux, parlant la bouche près de la bouche, les appelaient et les désiraient, les chassaient comme un gibier souple et fuyant, bien qu'il semblât si proche et si facile. Cette vaste plage n'était donc qu'une halle d'amour où les unes se vendaient, les autres se donnaient, celles-ci marchandaient leurs caresses et celles-là se promettaient seulement. Toutes ces femmes ne pensaient qu'à la même chose, offrir et faire désirer leur chair déjà donnée, déjà vendue, déjà promise à d'autres hommes. Et il songea que sur la terre entière c'était toujours la même chose.

Sa mère avait fait comme les autres, voilà tout! Comme les autres? — non! il existait des exceptions, et beaucoup, beaucoup! Celles qu'il voyait autour de lui, des riches, des folles, des chercheuses d'amour, appartenaient en somme à la galanterie élégante et mondaine ou même à la galanterie tarifée, car on ne rencontrait pas sur les plages piétinées par la légion des désœuvrées, le peuple des honnêtes femmes enfermées dans la maison close.

La mer montait, chassant peu à peu vers la ville les premières lignes des baigneurs. On voyait les groupes se lever vivement et fuir, en emportant leurs sièges, devant le flot jaune qui s'en venait frangé d'une petite dentelle d'écume. Les cabines roulantes, attelées d'un cheval, remontaient aussi; et sur les planches de la promenade, qui borde la plage d'un bout à l'autre, c'était maintenant une coulée continue, épaisse et lente, de foule élégante, formant deux courants contraires qui se coudoyaient et se mêlaient. Pierre, nerveux, exaspéré par ce frôlement, s'enfuit, s'enfonça dans la ville et s'arrêta pour déjeuner chez un simple marchand de vins, à l'entrée des champs.

Quand il eut pris son café, il s'étendit sur deux chaises devant la porte, et comme il n'avait guère dormi cette nuit-là, il s'assoupit à l'ombre d'un tilleul.

Après quelques heures de repos, s'étant secoué, il s'aperçut qu'il était temps de revenir pour reprendre le bateau, et il se mit en route, accablé par une courbature subite tombée sur lui pendant son assoupissement. Maintenant il voulait rentrer, il voulait savoir si sa mère avait retrouvé le portrait de Maréchal. En parlerait-elle la première, ou faudrait-il qu'il le demandât de nouveau ? Certes si elle attendait qu'on l'interrogeât encore, elle avait une raison secrète de ne point montrer ce portrait.

Mais lorsqu'il fut rentré dans sa chambre, il hésita à descendre pour le dîner. Il souffrait trop. Son cœur soulevé n'avait pas encore eu le temps de s'apaiser. Il se décida pourtant, et il parut dans la salle à manger comme on se mettait à table.

Un air de joie animait les visages.

— Eh bien ! dit Roland, ça avance-t-il, vos achats ! Moi, je ne veux rien voir avant que tout soit installé.

Sa femme répondit :

— Mais oui, ça va. Seulement il faut longtemps réfléchir pour ne pas commettre d'impair. La question du mobilier nous préoccupe beaucoup.

Elle avait passé la journée à visiter avec Jean des boutiques de tapissiers et des magasins d'ameublement. Elle voulait des étoffes riches, un peu pompeuses [1], pour frapper l'œil. Son fils, au contraire, désirait quelque chose de simple et de distingué. Alors, devant tous les échantillons proposés, ils avaient répété, l'un et l'autre, leurs arguments.

---

1. Dont le luxe se voit.

Elle prétendait que le client, le plaideur a besoin d'être impressionné, qu'il doit ressentir, en entrant dans le salon d'attente, l'émotion de la richesse.

Jean, au contraire, désirant n'attirer que la clientèle élégante et opulente, voulait conquérir l'esprit des gens fins par son goût modeste et sûr.

Et la discussion, qui avait duré toute la journée, reprit dès le potage.

Roland n'avait pas d'opinion. Il répétait :

— Moi, je ne veux entendre parler de rien. J'irai voir quand ce sera fini.

Mme Roland fit appel au jugement de son fils aîné.

— Voyons, toi, Pierre, qu'en penses-tu ?

Il avait les nerfs tellement surexcités qu'il eut envie de répondre par un juron. Il dit cependant sur un ton sec où vibrait son irritation :

— Oh ! moi, je suis tout à fait de l'avis de Jean. Je n'aime que la simplicité, qui est, quand il s'agit de goût, comparable à la droiture quand il s'agit de caractère.

Sa mère reprit :

— Songe que nous habitons une ville de commerçants, où le bon goût ne court pas les rues.

Pierre répondit :

— Et qu'importe ? Est-ce une raison pour imiter les sots ? Si mes compatriotes sont bêtes ou malhonnêtes, ai-je besoin de suivre leur exemple ? Une femme ne commettra pas une faute pour cette raison que ses voisines ont des amants.

Jean se mit à rire :

— Tu as des arguments par comparaison qui semblent pris dans les maximes d'un moraliste.

Pierre ne répliqua point. Sa mère et son frère recommencèrent à parler d'étoffes et de fauteuils.

Il les regardait comme il avait regardé sa mère, le matin,

avant de partir pour Trouville; il les regardait en étranger qui observe, et il se croyait en effet entré tout à coup dans une famille inconnue.

Son père, surtout, étonnait son œil et sa pensée. Ce gros homme flasque, content et niais, c'était son père, à lui! Non, non, Jean ne lui ressemblait en rien.

Sa famille! Depuis deux jours, une main inconnue et malfaisante, la main d'un mort, avait arraché et cassé, un à un, tous les liens qui tenaient l'un à l'autre ces quatre êtres. C'était fini, c'était brisé. Plus de mère, car il ne pourrait plus la chérir, ne la pouvant vénérer avec ce respect absolu, tendre et pieux, dont a besoin le cœur des fils; plus de frère, puisque ce frère était l'enfant d'un étranger; il ne lui restait qu'un père, ce gros homme, qu'il n'aimait pas, malgré lui.

Et tout à coup:

— Dis donc, maman, as-tu retrouvé ce portrait?

Elle ouvrit des yeux surpris:

— Quel portrait?

— Le portrait de Maréchal.

— Non... c'est-à-dire oui... je ne l'ai pas retrouvé, mais je crois savoir où il est.

— Quoi donc? demanda Roland.

Pierre lui dit:

— Un petit portrait de Maréchal qui était autrefois dans notre salon à Paris. J'ai pensé que Jean serait content de le posséder.

Roland s'écria:

— Mais oui, mais oui, je m'en souviens parfaitement; je l'ai même vu encore à la fin de l'autre semaine. Ta mère l'avait tiré de son secrétaire en rangeant ses papiers. C'était jeudi ou vendredi. Tu te rappelles bien, Louise? J'étais en train de me raser quand tu l'as pris dans un tiroir et posé sur une chaise à côté de toi, avec un tas de lettres dont tu as brûlé la moitié. Hein? est-ce drôle que tu aies touché à ce portrait deux ou trois jours à peine avant l'héritage de Jean ? Si je croyais aux pressentiments, je dirais que c'en est un !

Mme Roland répondit avec tranquillité :

— Oui, oui, je sais où il est ; j'irai le chercher tout à l'heure.

Donc elle avait menti ! Elle avait menti en répondant, ce matin-là même, à son fils qui lui demandait ce qu'était devenue cette miniature : «Je ne sais pas trop... peut-être que je l'ai dans mon secrétaire.»

Elle l'avait vue, touchée, maniée, contemplée quelques jours auparavant, puis elle l'avait recachée dans le tiroir secret, avec des lettres, ses lettres à lui.

Pierre regardait sa mère, qui avait menti. Il la regardait avec une colère exaspérée de fils trompé, volé dans son affection sacrée, et avec une jalousie d'homme longtemps aveugle qui découvre enfin une trahison honteuse. S'il avait été le mari de cette femme, lui, son enfant, il l'aurait saisie par les poignets, par les épaules ou par les cheveux, et jetée à terre, frappée, meurtrie, écrasée ! Et il ne pouvait rien dire, rien faire, rien montrer, rien révéler. Il était son fils, il n'avait rien à venger, lui, on ne l'avait pas trompé.

Mais oui, elle l'avait trompé dans sa tendresse, trompé dans son pieux respect. Elle se devait à lui irréprochable, comme se doivent toutes les mères à leurs enfants. Si la fureur dont il était soulevé arrivait presque à de la haine, c'est qu'il la sentait plus criminelle envers lui qu'envers son père lui-même.

L'amour de l'homme et de la femme est un pacte volontaire où celui qui faiblit n'est coupable que de perfidie ; mais quand la femme est devenue mère, son devoir a grandi puisque la nature lui confie une race. Si elle succombe alors, elle est lâche, indigne et infâme.

— C'est égal, dit tout à coup Roland en allongeant ses

jambes sous la table, comme il faisait chaque soir pour siroter son verre de cassis, ça n'est pas mauvais de vivre à rien faire quand on a une petite aisance. J'espère que Jean nous offrira des dîners extra, maintenant. Ma foi, tant pis si j'attrape quelquefois mal à l'estomac.

Puis se tournant vers sa femme :

— Va donc chercher ce portrait, ma chatte, puisque tu as fini de manger. Ça me fera plaisir aussi de le revoir.

Elle se leva, prit une bougie et sortit. Puis, après une absence qui parut longue à Pierre, bien qu'elle n'eût pas duré trois minutes, Mme Roland rentra, souriante, et tenant par l'anneau un cadre doré de forme ancienne.

— Voilà, dit-elle, je l'ai retrouvé presque tout de suite.

Le docteur, le premier, avait tendu la main. Il reçut le portrait, et, d'un peu loin, à bout de bras, l'examina. Puis, sentant bien que sa mère le regardait, il leva lentement les yeux sur son frère, pour comparer. Il faillit dire, emporté par sa violence : « Tiens, cela ressemble à Jean. » S'il n'osa pas prononcer ces redoutables paroles, il manifesta sa pensée par la façon dont il comparait la figure vivante à la figure peinte.

Elles avaient, certes, des signes communs : la même barbe et le même front, mais rien d'assez précis pour permettre de déclarer : « Voilà le père, et voilà le fils. » C'était plutôt un air de famille, une parenté de physionomies qu'anime le même sang. Or, ce qui fut pour Pierre plus décisif encore que cette allure des visages, c'est que sa mère s'était levée, avait tourné le dos et feignait d'enfermer, avec trop de lenteur, le sucre et le cassis dans un placard.

Elle avait compris qu'il savait ou du moins qu'il soupçonnait !

— Passe-moi donc ça, disait Roland.

Pierre tendit la miniature et son père attira la bougie pour bien voir ; puis il murmura d'une voix attendrie :

— Pauvre garçon! dire qu'il était comme ça quand nous l'avons connu. Cristi! comme ça va vite! Il était joli homme, tout de même, à cette époque, et si plaisant de manière, n'est-ce pas, Louise?

Comme sa femme ne répondait pas, il reprit:

— Et quel caractère égal! Je ne lui ai jamais vu de mauvaise humeur. Voilà, c'est fini, il n'en reste plus rien... que ce qu'il a laissé à Jean. Enfin, on pourra jurer que celui-là s'est montré bon ami et fidèle jusqu'au bout. Même en mourant il ne nous a pas oubliés.

Jean, à son tour, tendit le bras pour prendre le portrait. Il le contempla quelques instants, puis, avec regret:

— Moi, je ne le reconnais pas du tout. Je ne me le rappelle qu'avec ses cheveux blancs.

Et il rendit la miniature à sa mère. Elle y jeta un regard rapide, vite détourné, qui semblait craintif; puis de sa voix naturelle:

— Cela t'appartient maintenant, mon Jeannot, puisque tu es son héritier. Nous le porterons dans ton nouvel appartement.

Et comme on entrait au salon, elle posa la miniature sur la cheminée, près de la pendule, où elle était autrefois.

Roland bourrait sa pipe, Pierre et Jean allumèrent des cigarettes. Ils les fumaient ordinairement, l'un en marchant à travers la pièce, l'autre assis, enfoncé dans un fauteuil, et les jambes croisées. Le père se mettait toujours à cheval sur une chaise et crachait de loin dans la cheminée.

Mme Roland, sur un siège bas, près d'une petite table qui portait la lampe, brodait, tricotait ou marquait du linge.

Elle commençait, ce soir-là, une tapisserie destinée à la chambre de Jean. C'était un travail difficile et compliqué dont le début exigeait toute son attention. De temps en temps cependant son œil qui comptait les points se levait et allait, prompt et furtif, vers le petit portrait du mort appuyé contre la pendule. Et le docteur, qui traversait l'étroit salon en quatre ou cinq enjambées, les mains derrière le dos et la cigarette aux lèvres, rencontrait chaque fois le regard de sa mère.

On eût dit qu'ils s'épiaient, qu'une lutte venait de se déclarer entre eux; et un malaise douloureux, un malaise insoutenable crispait le cœur de Pierre. Il se disait, torturé et satisfait pourtant : «Doit-elle souffrir en ce moment, si elle sait que je l'ai devinée!» Et à chaque retour vers le foyer, il s'arrêtait quelques secondes à contempler le visage blond de Maréchal, pour bien montrer qu'une idée fixe le hantait. Et ce petit portrait, moins grand qu'une main ouverte, semblait une personne vivante, méchante, redoutable, entrée soudain dans cette maison et dans cette famille.

Tout à coup la sonnette de la rue tinta. Mme Roland, toujours si calme, eut un sursaut qui révéla le trouble de ses nerfs au docteur.

Puis elle dit : «Ça doit être Mme Rosémilly.» Et son œil anxieux encore une fois se leva vers la cheminée.

Pierre comprit, ou crut comprendre sa terreur et son angoisse. Le regard des femmes est perçant, leur esprit agile, et leur pensée soupçonneuse. Quand celle qui allait entrer apercevrait cette miniature inconnue, du premier coup, peut-être, elle découvrirait la ressemblance entre cette figure et celle de Jean. Alors elle saurait et comprendrait tout! Il eut peur, une peur brusque et horrible que cette honte fût dévoilée, et se retournant, comme la porte s'ouvrait, il prit la petite peinture et la glissa sous la pendule sans que son père et son frère l'eussent vu.

Rencontrant de nouveau les yeux de sa mère, ils lui parurent changés, troubles et hagards.

— Bonjour, disait Mme Rosémilly, je viens boire avec vous une tasse de thé.

Mais pendant qu'on s'agitait autour d'elle pour s'informer de sa santé, Pierre disparut par la porte restée ouverte.

Quand on s'aperçut de son départ, on s'étonna. Jean, mécontent à cause de la jeune veuve qu'il craignait blessée, murmurait :

— Quel ours !

Mme Roland répondit :

— Il ne faut pas lui en vouloir, il est un peu malade aujourd'hui et fatigué d'ailleurs de sa promenade à Trouville.

— N'importe, reprit Roland, ce n'est pas une raison pour s'en aller comme un sauvage.

Mme Rosémilly voulut arranger les choses en affirmant :

— Mais non, mais non, il est parti à l'anglaise ; on se sauve toujours ainsi dans le monde quand on s'en va de bonne heure.

— Oh ! répondit Jean, dans le monde, c'est possible, mais on ne traite pas sa famille à l'anglaise [1], et mon frère ne fait que cela, depuis quelque temps.

---

1. L'expression est alors très récente. Elle n'apparaît dans le *Grand Dictionnaire universel* de Larousse qu'en 1890.

6

médecine (3 pages)

Rien ne survint chez les Roland pendant une semaine ou deux. Le père pêchait, Jean s'installait aidé de sa mère, Pierre, très sombre, ne paraissait plus qu'aux heures des repas.

Son père lui ayant demandé un soir :

— Pourquoi diable nous fais-tu une figure d'enterrement ? Ça n'est pas d'aujourd'hui que je le remarque !

Le docteur répondit :

— C'est que je sens terriblement le poids de la vie.

Le bonhomme n'y comprit rien et, d'un air désolé :

— Vraiment c'est trop fort. Depuis que nous avons eu le bonheur de cet héritage, tout le monde semble malheureux. C'est comme s'il nous était arrivé un accident, comme si nous pleurions quelqu'un !

— Je pleure quelqu'un, en effet, dit Pierre.

— Toi ? qui donc ?

— Oh ! quelqu'un que tu n'as pas connu, et que j'aimais trop.

Roland s'imagina qu'il s'agissait d'une amourette, d'une personne légère courtisée par son fils, et il demanda :

— Une femme, sans doute ?

— Oui, une femme.

— Morte ?

— Non, c'est pis, perdue.

— Ah !

Bien qu'il s'étonnât de cette confidence imprévue, faite devant sa femme, et du ton bizarre de son fils, le vieux n'insista point, car il estimait que ces choses-là ne regardent pas les tiers [1].

Mme Roland semblait n'avoir point entendu ; elle paraissait malade, étant très pâle. Plusieurs fois déjà son mari, surpris de la voir s'asseoir comme si elle tombait sur son siège, de l'entendre souffler comme si elle ne pouvait plus respirer, lui avait dit :

— Vraiment, Louise, tu as mauvaise mine, tu te fatigues trop sans doute à installer Jean ! Repose-toi un peu, sacristi ! Il n'est pas pressé, le gaillard, puisqu'il est riche.

Elle remuait la tête sans répondre.

Sa pâleur, ce jour-là, devint si grande que Roland, de nouveau, la remarqua.

— Allons, dit-il, ça ne va pas du tout, ma pauvre vieille, il faut te soigner.

Puis se tournant vers son fils :

— Tu le vois bien, toi, qu'elle est souffrante, ta mère. L'as-tu examinée, au moins ?

Pierre répondit :

— Non, je ne m'étais pas aperçu qu'elle eût quelque chose.

Alors Roland se fâcha :

— Mais ça crève les yeux, nom d'un chien ! À quoi ça te sert-il d'être docteur alors, si tu ne t'aperçois même pas que ta mère est indisposée ? Mais regarde-la, tiens, regarde-la. Non, vrai, on pourrait crever, ce médecin-là ne s'en douterait pas !

---

1. Les autres personnes.

Mme Roland s'était mise à haleter, si blême que son mari s'écria :

— Mais elle va se trouver mal.

— Non… non… ce n'est rien… ça va passer… ce n'est rien.

Pierre s'était approché, et la regardant fixement :

— Voyons, qu'est-ce que tu as ? dit-il.

Elle répétait, d'une voix basse, précipitée :

— Mais rien… rien… je t'assure… rien.

Roland était parti chercher du vinaigre ; il rentra, et tendant la bouteille à son fils :

— Tiens… mais soulage-la donc, toi. As-tu tâté son cœur, au moins ?

Comme Pierre se penchait pour prendre son pouls, elle retira sa main d'un mouvement si brusque qu'elle heurta une chaise voisine.

— Allons, dit-il d'une voix froide, laisse-toi soigner puisque tu es malade.

Alors elle souleva et lui tendit son bras. Elle avait la peau brûlante, les battements du sang tumultueux et saccadés. Il murmura :

— En effet, c'est assez sérieux. Il faudra prendre des calmants. Je vais te faire une ordonnance.

Et comme il écrivait, courbé sur son papier, un bruit léger de soupirs pressés, de suffocation, de souffles courts et retenus, le fit se retourner soudain.

Elle pleurait, les deux mains sur la face.

Roland, éperdu, demandait :

— Louise, Louise, qu'est-ce que tu as ? mais qu'est-ce que tu as donc ?

Elle ne répondait pas et semblait déchirée par un chagrin horrible et profond.

Son mari voulut prendre ses mains et les ôter de son visage. Elle résista, répétant :

— Non, non, non.

Il se tourna vers son fils.

— Mais qu'est-ce qu'elle a ? Je ne l'ai jamais vue ainsi.

— Ce n'est rien, dit Pierre, une petite crise de nerfs.

Et il lui semblait que son cœur à lui se soulageait à la voir ainsi torturée, que cette douleur allégeait son ressentiment, diminuait la dette d'opprobre[1] de sa mère. Il la contemplait comme un juge satisfait de sa besogne.

Mais soudain elle se leva, se jeta vers la porte, d'un élan si brusque qu'on ne put ni le prévoir ni l'arrêter ; et elle courut s'enfermer dans sa chambre.

Roland et le docteur demeurèrent face à face.

— Est-ce que tu y comprends quelque chose ? dit l'un.

— Oui, répondit l'autre, cela vient d'un simple petit malaise nerveux qui se déclare souvent à l'âge de maman. Il est probable qu'elle aura encore beaucoup de crises comme celle-là.

Elle en eut d'autres en effet, presque chaque jour, et que Pierre semblait provoquer d'une parole, comme s'il avait eu le secret de son mal étrange et inconnu. Il guettait sur sa figure les intermittences de repos, et, avec des ruses de tortionnaire réveillait par un seul mot la douleur un instant calmée.

Et il souffrait autant qu'elle, lui ! Il souffrait affreusement de ne plus l'aimer, de ne plus la respecter et de la torturer. Quand il avait bien avivé la plaie saignante, ouverte par lui dans ce cœur de femme et de mère, quand il sentait combien elle était misérable et désespérée, il s'en allait seul, par la ville, si tenaillé par les remords, si meurtri par la pitié, si désolé de l'avoir ainsi broyée sous son mépris de fils, qu'il avait envie de se jeter à la mer, de se noyer pour en finir.

Oh ! comme il aurait voulu pardonner, maintenant ! mais

---

1. Honte, déshonneur.

il ne le pouvait point, étant incapable d'oublier. Si seulement il avait pu ne pas la faire souffrir; mais il ne le pouvait pas non plus, souffrant toujours lui-même. Il rentrait aux heures des repas, plein de résolutions attendries, puis dès qu'il l'apercevait, dès qu'il voyait son œil, autrefois si droit et si franc, et fuyant à présent, craintif, éperdu, il frappait malgré lui, ne pouvant garder la phrase perfide qui lui montait aux lèvres.

L'infâme secret, connu d'eux seuls, l'aiguillonnait contre elle. C'était un venin qu'il portait à présent dans les veines et qui lui donnait des envies de mordre à la façon d'un chien enragé.

Rien ne le gênait plus pour la déchirer sans cesse, car Jean habitait maintenant presque tout à fait son nouvel appartement, et il revenait seulement pour dîner et pour coucher, chaque soir, dans sa famille.

Il s'apercevait souvent des amertumes et des violences de son frère, qu'il attribuait à la jalousie. Il se promettait bien de le remettre à sa place, et de lui donner une leçon un jour ou l'autre, car la vie de famille devenait fort pénible à la suite de ces scènes continuelles. Mais comme il vivait à part maintenant, il souffrait moins de ces brutalités; et son amour de la tranquillité le poussait à la patience. La fortune, d'ailleurs, l'avait grisé, et sa pensée ne s'arrêtait plus guère qu'aux choses ayant pour lui un intérêt direct. Il arrivait, l'esprit plein de petits soucis nouveaux, préoccupé de la coupe d'une jaquette, de la forme d'un chapeau de feutre, de la grandeur convenable pour des cartes de visite. Et il parlait avec persistance de tous les détails de sa maison, de planches posées dans le placard de sa chambre pour serrer le linge, de portemanteaux installés dans le vestibule, de sonneries électriques disposées pour prévenir toute pénétration clandestine dans le logis.

Il avait été décidé qu'à l'occasion de son installation, on

ferait une partie de campagne à Saint-Jouin, et qu'on reviendrait prendre le thé, chez lui, après dîner. Roland voulait aller par mer, mais la distance et l'incertitude où l'on était d'arriver par cette voie, si le vent contraire soufflait, firent repousser son avis, et un break [1] fut loué pour cette excursion.

On partit vers dix heures afin d'arriver pour le déjeuner. La grand'route poudreuse se déployait à travers la campagne normande que les ondulations des plaines et les fermes entourées d'arbres font ressembler à un parc sans fin. Dans la voiture emportée au trot lent de deux gros chevaux, la famille Roland, Mme Rosémilly et le capitaine Beausire se taisaient, assourdis par le bruit des roues, et fermaient les yeux dans un nuage de poussière.

C'était l'époque des récoltes mûres. À côté des trèfles d'un vert sombre, et des betteraves d'un vert cru, les blés jaunes éclairaient la campagne d'une lueur dorée et blonde. Ils semblaient avoir bu la lumière du soleil tombée sur eux. On commençait à moissonner par places, et dans les champs attaqués par les faux, on voyait les hommes se balancer en promenant au ras du sol leur grande lame en forme d'aile.

Après deux heures de marche, le break prit un chemin à gauche, passa près d'un moulin à vent qui tournait, mélancolique épave grise, à moitié pourrie et condamnée, dernier survivant des vieux moulins, puis il entra dans une jolie cour et s'arrêta devant une maison coquette, auberge célèbre dans le pays.

La patronne, qu'on appelle la belle Alphonsine [2], s'en vint,

---

1. Voiture ouverte avec un siège de cocher élevé et deux banquettes à l'arrière.
2. L'auberge de Saint-Jouin existait bien mais le nom de la patronne est déformé. Elle se nommait Ernestine Aubourg.

souriante, sur sa porte, et tendit la main aux deux dames qui hésitaient devant le marchepied trop haut.

Sous une tente, au bord de l'herbage ombragé de pommiers, des étrangers déjeunaient déjà, des Parisiens venus d'Étretat ; et on entendait dans l'intérieur de la maison des voix, des rires et des bruits de vaisselle.

On dut manger dans une chambre, toutes les salles étant pleines. Soudain Roland aperçut contre la muraille des filets à salicoques[1].

— Ah ! ah ! cria-t-il, on pêche du bouquet ici ?

— Oui, répondit Beausire, c'est même l'endroit où on en prend le plus de toute la côte.

— Bigre ! si nous y allions après déjeuner ?

Il se trouvait justement que la marée était basse à trois heures ; et on décida que tout le monde passerait l'après-midi dans les rochers, à chercher des salicoques.

On mangea peu, pour éviter l'afflux de sang à la tête quand on aurait les pieds dans l'eau. On voulait d'ailleurs se réserver pour le dîner, qui fut commandé magnifique et qui devait être prêt dès six heures, quand on rentrerait.

Roland ne se tenait pas d'impatience. Il voulait acheter les engins spéciaux employés pour cette pêche, et qui ressemblent beaucoup à ceux dont on se sert pour attraper des papillons dans les prairies.

On les nomme lanets. Ce sont de petites poches en filet attachées sur un cercle de bois, au bout d'un long bâton. Alphonsine, souriant toujours, les lui prêta. Puis elle aida les deux femmes à faire une toilette improvisée pour ne point mouiller leurs robes. Elle offrit des jupes, de gros bas de laine et des espadrilles. Les hommes ôtèrent leurs chaussettes et achetèrent chez le cordonnier du lieu des savates et des sabots.

---

1. Crevettes, appelées aussi bouquets.

Puis on se mit en route, le lanet sur l'épaule et la hotte sur le dos. Mme Rosémilly, dans ce costume, était tout à fait gentille, d'une gentillesse imprévue, paysanne et hardie.

La jupe prêtée par Alphonsine, coquettement relevée et fermée par un point de couture afin de pouvoir courir et sauter sans peur dans les roches, montrait la cheville et le bas du mollet, un ferme mollet de petite femme souple et forte. La taille était libre pour laisser aux mouvements leur aisance ; et elle avait trouvé, pour se couvrir la tête, un immense chapeau de jardinier, en paille jaune, aux bords démesurés, à qui une branche de tamaris, tenant un côté retroussé, donnait un air mousquetaire et crâne.

Jean, depuis son héritage, se demandait tous les jours s'il l'épouserait ou non. Chaque fois qu'il la revoyait, il se sentait décidé à en faire sa femme, puis, dès qu'il se trouvait seul, il songeait qu'en attendant on a le temps de réfléchir. Elle était moins riche que lui maintenant, car elle ne possédait qu'une douzaine de mille francs de revenu, mais en biens-fonds [1], en fermes et en terrains dans le Havre, sur les bassins ; et cela, plus tard, pouvait valoir une grosse somme. La fortune était donc à peu près équivalente, et la jeune veuve assurément lui plaisait beaucoup.

En la regardant marcher devant lui ce jour-là, il pensait : «Alors, il faut que je me décide. Certes, je ne trouverai pas mieux.»

Ils suivirent un petit vallon en pente, descendant du village vers la falaise ; et la falaise, au bout de ce vallon, dominait la mer de quatre-vingts mètres. Dans l'encadrement des côtes vertes, s'abaissant à droite et à gauche, un grand triangle d'eau, d'un bleu d'argent sous le soleil, apparaissait au loin, et une voile, à peine visible, avait l'air d'un insecte là-bas. Le ciel plein de lumière se mêlait tellement à l'eau qu'on

---

1. Biens immobiliers et terres.

ne distinguait point du tout où finissait l'un et où commençait l'autre ; et les deux femmes, qui précédaient les trois hommes, dessinaient sur cet horizon clair leurs tailles serrées dans leurs corsages.

Jean, l'œil allumé, regardait fuir devant lui la cheville mince, la jambe fine, la hanche souple et le grand chapeau provocant de Mᵐᵉ Rosémilly. Et cette fuite activait son désir, le poussait aux résolutions décisives que prennent brusquement les hésitants et les timides. L'air tiède, où se mêlait à l'odeur des côtes, des ajoncs, des trèfles et des herbes, la senteur marine des roches découvertes, l'animait encore en le grisant doucement, et il se décidait un peu plus à chaque pas, à chaque seconde, à chaque regard jeté sur la silhouette alerte de la jeune femme ; il se décidait à ne plus hésiter, à lui dire qu'il l'aimait et qu'il désirait l'épouser. La pêche lui servirait, facilitant leur tête-à-tête ; et ce serait, en outre, un joli cadre, un joli endroit pour parler d'amour, les pieds dans un bassin d'eau limpide, en regardant fuir sous les varechs [1] les longues barbes des crevettes.

Quand ils arrivèrent au bout du vallon, au bord de l'abîme, ils aperçurent un petit sentier qui descendait le long de la falaise, et sous eux, entre la mer et le pied de la montagne, à mi-côte à peu près, un surprenant chaos de rochers énormes, écroulés, renversés, entassés les uns sur les autres dans une espèce de plaine herbeuse et mouvementée qui courait à perte de vue vers le sud, formée par les éboulements anciens. Sur cette longue bande de broussailles et de gazon secouée, eût-on dit, par des sursauts de volcan, les rocs tombés semblaient les ruines d'une grande cité disparue qui regardait autrefois l'Océan, dominée elle-même par la muraille blanche et sans fin de la falaise.

— Ça, c'est beau, dit en s'arrêtant Mᵐᵉ Rosémilly.

---

1. Algues.

Jean l'avait rejointe, et, le cœur ému, lui offrait la main pour descendre l'étroit escalier taillé dans la roche.

Ils partirent en avant, tandis que Beausire, se raidissant sur ses courtes jambes, tendait son bras replié à Mme Roland étourdie par le vide.

Roland et Pierre venaient les derniers, et le docteur dut traîner son père, tellement troublé par le vertige, qu'il se laissait glisser, de marche en marche, sur son derrière.

Les jeunes gens, qui dévalaient en tête, allaient vite, et soudain ils aperçurent à côté d'un banc de bois qui marquait un repos vers le milieu de la valleuse[1], un filet d'eau claire jaillissant d'un petit trou de la falaise. Il se répandait d'abord en un bassin grand comme une cuvette qu'il s'était creusé lui-même, puis tombant en cascade haute de deux pieds à peine, il s'enfuyait à travers le sentier, où avait poussé un tapis de cresson, puis disparaissait dans les ronces et les herbes, à travers la plaine soulevée où s'entassaient les éboulements.

— Oh! que j'ai soif! s'écria Mme Rosémilly.

Mais comment boire? Elle essayait de recueillir dans le fond de sa main l'eau qui lui fuyait à travers les doigts. Jean eut une idée, mit une pierre dans le chemin; et elle s'agenouilla dessus afin de puiser à la source même avec ses lèvres qui se trouvaient ainsi à la même hauteur.

Quand elle releva sa tête, couverte de gouttelettes brillantes semées par milliers sur la peau, sur les cheveux, sur les cils, sur le corsage, Jean penché vers elle murmura :

— Comme vous êtes jolie!

Elle répondit, sur le ton qu'on prend pour gronder un enfant :

— Voulez-vous bien vous taire?

_____

1. Petite vallée suspendue, aboutissant à la mer et formant une entaille dans une falaise.

C'étaient les premières paroles un peu galantes qu'ils échangeaient.

— Allons, dit Jean fort troublé, sauvons-nous avant qu'on nous rejoigne.

Il apercevait, en effet, tout près d'eux maintenant, le dos du capitaine Beausire qui descendait à reculons afin de soutenir par les deux mains Mme Roland, et, plus haut, plus loin, Roland se laissait toujours glisser, calé sur son fond de culotte en se traînant sur les pieds et sur les coudes avec une allure de tortue, tandis que Pierre le précédait en surveillant ses mouvements.

Le sentier moins escarpé devenait une sorte de chemin en pente contournant les blocs énormes tombés autrefois de la montagne. Mme Rosémilly et Jean se mirent à courir et furent bientôt sur le galet. Ils le traversèrent pour gagner les roches. Elles s'étendaient en une longue et plate surface couverte d'herbes marines et où brillaient d'innombrables flaques d'eau. La mer basse était là-bas, très loin, derrière cette plaine gluante de varechs, d'un vert luisant et noir.

Jean releva son pantalon jusqu'au-dessus du mollet et ses manches jusqu'au coude, afin de se mouiller sans crainte, puis il dit : « En avant ! » et sauta avec résolution dans la première mare rencontrée.

Plus prudente, bien que décidée aussi à entrer dans l'eau tout à l'heure, la jeune femme tournait autour de l'étroit bassin, à pas craintifs, car elle glissait sur les plantes visqueuses.

— Voyez-vous quelque chose ? disait-elle.

— Oui, je vois votre visage qui se reflète dans l'eau.

— Si vous ne voyez que cela, vous n'aurez pas une fameuse pêche.

Il murmura d'une voix tendre :

— Oh ! de toutes les pêches c'est encore celle que je préférerais faire.

Elle riait :

— Essayez donc, vous allez voir comme il passera à travers votre filet.

— Pourtant… si vous vouliez ?

— Je veux vous voir prendre des salicoques… et rien de plus… pour le moment.

— Vous êtes méchante. Allons plus loin, il n'y a rien ici.

Et il lui offrit la main pour marcher sur les rochers gras. Elle s'appuyait un peu craintive, et lui, tout à coup, se sentait envahi par l'amour, soulevé de désirs, affamé d'elle, comme si le mal qui germait en lui avait attendu ce jour-là pour éclore.

Ils arrivèrent bientôt auprès d'une crevasse plus profonde, où flottaient sous l'eau frémissante et coulant vers la mer lointaine par une fissure invisible, des herbes longues, fines, bizarrement colorées, des chevelures roses et vertes, qui semblaient nager.

Mme Rosémilly s'écria :

— Tenez, tenez, j'en vois une, une grosse, une très grosse là-bas !

Il l'aperçut à son tour, et descendit dans le trou résolument, bien qu'il se mouillât jusqu'à la ceinture.

Mais la bête remuant ses longues moustaches reculait doucement devant le filet. Jean la poussait vers les varechs, sûr de l'y prendre. Quand elle se sentit bloquée, elle glissa d'un brusque élan par-dessus le lanet, traversa la mare et disparut.

La jeune femme qui regardait, toute palpitante, cette chasse, ne put retenir ce cri :

— Oh ! maladroit.

Il fut vexé, et d'un mouvement irréfléchi traîna son filet dans un fond plein d'herbes. En le ramenant à la surface de l'eau, il vit dedans trois grosses salicoques transparentes, cueillies à l'aveuglette dans leur cachette invisible.

Il les présenta, triomphant, à Mme Rosémilly qui n'osait point les prendre, par peur de la pointe aiguë et dentelée dont leur tête fine est armée.

Elle s'y décida pourtant, et pinçant entre deux doigts le bout effilé de leur barbe, elle les mit, l'une après l'autre, dans sa hotte, avec un peu de varech qui les conserverait vivantes. Puis ayant trouvé une flaque d'eau moins creuse, elle y entra, à pas hésitants, un peu suffoquée par le froid qui lui saisissait les pieds, et elle se mit à pêcher elle-même. Elle était adroite et rusée, ayant la main souple et le flair de chasseur qu'il fallait. Presque à chaque coup, elle ramenait des bêtes trompées et surprises par la lenteur ingénieuse de sa poursuite.

Jean maintenant ne trouvait rien, mais il la suivait pas à pas, la frôlait, se penchait sur elle, simulait un grand désespoir de sa maladresse, voulait apprendre.

— Oh! montrez-moi, disait-il, montrez-moi!

Puis, comme leurs deux visages se reflétaient, l'un contre l'autre, dans l'eau si claire dont les plantes noires du fond faisaient une glace limpide, Jean souriait à cette tête voisine qui le regardait d'en bas, et parfois, du bout des doigts, lui jetait un baiser qui semblait tomber dessus.

— Ah! que vous êtes ennuyeux, disait la jeune femme; mon cher, il ne faut jamais faire deux choses à la fois.

Il répondit :

— Je n'en fais qu'une. Je vous aime.

Elle se redressa, et d'un ton sérieux :

— Voyons, qu'est-ce qui vous prend depuis dix minutes, avez-vous perdu la tête?

— Non, je n'ai pas perdu la tête. Je vous aime, et j'ose, enfin, vous le dire.

Ils étaient debout maintenant dans la mare salée qui les mouillait jusqu'aux mollets, et les mains ruisselantes appuyées sur leurs filets, ils se regardaient au fond des yeux.

Elle reprit, d'un ton plaisant et contrarié :

— Que vous êtes malavisé de me parler de ça en ce moment ! Ne pouviez-vous attendre un autre jour et ne pas me gâter ma pêche ?

Il murmura :

— Pardon, mais je ne pouvais plus me taire. Je vous aime depuis longtemps. Aujourd'hui vous m'avez grisé à me faire perdre la raison.

Alors, tout à coup, elle sembla en prendre son parti, se résigner à parler d'affaires et à renoncer aux plaisirs.

— Asseyons-nous sur ce rocher, dit-elle, nous pourrons causer tranquillement.

Ils grimpèrent sur le roc un peu haut, et lorsqu'ils y furent installés côte à côte, les pieds pendants, en plein soleil, elle reprit :

— Mon cher ami, vous n'êtes plus un enfant et je ne suis pas une jeune fille. Nous savons fort bien l'un et l'autre de quoi il s'agit, et nous pouvons peser toutes les conséquences de nos actes. Si vous vous décidez aujourd'hui à me déclarer votre amour, je suppose naturellement que vous désirez m'épouser.

Il ne s'attendait guère à cet exposé net de la situation, et il répondit niaisement :

— Mais oui.

— En avez-vous parlé à votre père et à votre mère ?

— Non, je voulais savoir si vous m'accepteriez.

Elle lui tendit sa main encore mouillée, et comme il y mettait la sienne avec élan :

— Moi, je veux bien, dit-elle. Je vous crois bon et loyal. Mais n'oubliez point que je ne voudrais pas déplaire à vos parents.

— Oh ! pensez-vous que ma mère n'a rien prévu et qu'elle vous aimerait comme elle vous aime si elle ne désirait pas un mariage entre nous ?

— C'est vrai, je suis un peu troublée.

Ils se turent. Et il s'étonnait, lui, au contraire, qu'elle fût si peu troublée, si raisonnable. Il s'attendait à des gentillesses galantes, à des refus qui disent oui, à toute une coquette comédie d'amour mêlée à la pêche, dans le clapotement de l'eau ! Et c'était fini, il se sentait lié, marié, en vingt paroles. Ils n'avaient plus rien à se dire puisqu'ils étaient d'accord et ils demeuraient maintenant un peu embarrassés tous deux de ce qui s'était passé, si vite, entre eux, un peu confus même, n'osant plus parler, n'osant plus pêcher, ne sachant que faire.

La voix de Roland les sauva :

— Par ici, par ici, les enfants. Venez voir Beausire. Il vide la mer, ce gaillard-là.

Le capitaine, en effet, faisait une pêche merveilleuse. Mouillé jusqu'aux reins, il allait de mare en mare, reconnaissant d'un seul coup d'œil les meilleures places, et fouillant, d'un mouvement lent et sûr de son lanet, toutes les cavités cachées sous les varechs.

Et les belles salicoques transparentes, d'un blond gris, frétillaient au fond de sa main quand il les prenait d'un geste sec pour les jeter dans sa hotte.

Mme Rosémilly surprise, ravie, ne le quitta plus, l'imitant de son mieux, oubliant presque sa promesse et Jean qui suivait, rêveur, pour se donner tout entière à cette joie enfantine de ramasser des bêtes sous les herbes flottantes.

Roland s'écria tout à coup :

— Tiens, Mme Roland qui nous rejoint.

Elle était restée d'abord seule avec Pierre sur la plage, car ils n'avaient envie ni l'un ni l'autre de s'amuser à courir dans les roches et à barboter dans les flaques ; et pourtant ils hésitaient à demeurer ensemble. Elle avait peur de lui, et son fils avait peur d'elle et de lui-même, peur de sa cruauté qu'il ne maîtrisait point.

Ils s'assirent donc, l'un près de l'autre, sur le galet.

Et tous deux, sous la chaleur du soleil calmée par l'air marin, devant le vaste et doux horizon d'eau bleue moirée[1] d'argent, pensaient en même temps : « Comme il aurait fait bon ici, autrefois. »

Elle n'osait point parler à Pierre, sachant bien qu'il répondrait une dureté ; et il n'osait pas parler à sa mère sachant aussi que, malgré lui, il le ferait avec violence.

Du bout de sa canne il tourmentait les galets ronds, les remuait et les battait. Elle, les yeux vagues, avait pris entre ses doigts trois ou quatre petits cailloux qu'elle faisait passer d'une main dans l'autre, d'un geste lent et machinal. Puis son regard indécis, qui errait devant elle, aperçut, au milieu des varechs, son fils Jean qui pêchait avec Mᵐᵉ Rosémilly. Alors elle les suivit, épiant leurs mouvements, comprenant confusément, avec son instinct de mère, qu'ils ne causaient point comme tous les jours. Elle les vit se pencher côte à côte quand ils se regardaient dans l'eau, demeurer debout face à face quand ils interrogeaient leurs cœurs, puis grimper et s'asseoir sur le rocher pour s'engager l'un envers l'autre.

Leurs silhouettes se détachaient bien nettes, semblaient seules au milieu de l'horizon, prenaient dans ce large espace de ciel, de mer, de falaises, quelque chose de grand et de symbolique.

Pierre aussi les regardait, et un rire sec sortit brusquement de ses lèvres.

Sans se tourner vers lui, Mᵐᵉ Roland lui dit :

— Qu'est-ce que tu as donc ?

Il ricanait toujours :

— Je m'instruis. J'apprends comment on se prépare à être cocu.

---

1. Avec des reflets argentés.

Elle eut un sursaut de colère, de révolte, choquée du mot, exaspérée de ce qu'elle croyait comprendre.

— Pour qui dis-tu ça ?

— Pour Jean, parbleu ! C'est très comique de les voir ainsi !

Elle murmura, d'une voix basse, tremblante d'émotion :

— Oh ! Pierre, que tu es cruel ! Cette femme est la droiture même. Ton frère ne pourrait trouver mieux.

Il se mit à rire tout à fait, d'un rire voulu et saccadé :

— Ah ! ah ! ah ! La droiture même ! Toutes les femmes sont la droiture même... et tous leurs maris sont cocus. Ah ! ah ! ah !

Sans répondre elle se leva, descendit vivement la pente de galets, et, au risque de glisser, de tomber dans les trous cachés sous les herbes, de se casser la jambe ou le bras, elle s'en alla, courant presque, marchant à travers les mares, sans voir, tout droit devant elle, vers son autre fils.

En la voyant approcher, Jean lui cria :

— Eh bien ? maman, tu te décides ?

Sans répondre elle lui saisit le bras comme pour lui dire : « Sauve-moi, défends-moi. »

Il vit son trouble et, très surpris :

— Comme tu es pâle ! Qu'est-ce que tu as ?

Elle balbutia :

— J'ai failli tomber, j'ai eu peur sur ces roches.

Alors Jean la guida, la soutint, lui expliquant la pêche pour qu'elle y prît intérêt. Mais comme elle ne l'écoutait guère, et comme il éprouvait un besoin violent de se confier à quelqu'un, il l'entraîna plus loin et, à voix basse :

— Devine ce que j'ai fait ?

— Mais... mais... je ne sais pas.

— Devine.

— Je ne... je ne sais pas.

— Eh bien, j'ai dit à Mme Rosémilly que je désirais l'épouser.

Elle ne répondit rien, ayant la tête bourdonnante, l'esprit en détresse au point de ne plus comprendre qu'à peine. Elle répéta :

— L'épouser ?

— Oui, ai-je bien fait ? Elle est charmante, n'est-ce pas ?

— Oui... charmante... tu as bien fait.

— Alors tu m'approuves ?

— Oui... je t'approuve.

— Comme tu dis ça drôlement. On croirait que... que... tu n'es pas contente.

— Mais oui... je suis... contente.

— Bien vrai ?

— Bien vrai.

Et pour le lui prouver, elle le saisit à pleins bras et l'embrassa à plein visage, par grands baisers de mère.

Puis, quand elle se fut essuyé les yeux, où des larmes étaient venues, elle aperçut là-bas sur la plage un corps étendu sur le ventre, comme un cadavre, la figure dans le galet : c'était l'autre, Pierre, qui songeait, désespéré.

Alors elle emmena son petit Jean plus loin encore, tout près du flot, et ils parlèrent longtemps de ce mariage où se rattachait son cœur.

La mer montant les chassa vers les pêcheurs qu'ils rejoignirent, puis tout le monde regagna la côte. On réveilla Pierre qui feignait de dormir ; et le dîner fut très long, arrosé de beaucoup de vins.

7

Dans le break, en revenant, tous les hommes, hormis Jean, sommeillèrent. Beausire et Roland s'abattaient, toutes les cinq minutes, sur une épaule voisine qui les repoussait d'une secousse. Ils se redressaient alors, cessaient de ronfler, ouvraient les yeux, murmuraient : « Bien beau temps », et retombaient, presque aussitôt, de l'autre côté.

Lorsqu'on entra dans le Havre, leur engourdissement était si profond qu'ils eurent beaucoup de peine à le secouer, et Beausire refusa même de monter chez Jean où le thé les attendait. On dut le déposer devant sa porte.

Le jeune avocat, pour la première fois, allait coucher dans son logis nouveau ; et une grande joie, un peu puérile, l'avait saisi tout à coup de montrer, justement ce soir-là, à sa fiancée l'appartement qu'elle habiterait bientôt.

La bonne était partie, Mme Roland ayant déclaré qu'elle ferait chauffer l'eau et servirait elle-même, car elle n'aimait pas laisser veiller les domestiques, par crainte du feu [1].

Personne, autre qu'elle, son fils et les ouvriers, n'était

---

1. Il fallait veiller à ce que le feu soit complètement éteint et ne puisse reprendre pendant la nuit. Mme Roland préfère le faire elle-même.

encore entré, afin que la surprise fût complète quand on verrait combien c'était joli.

Dans le vestibule, Jean pria qu'on attendît. Il voulait allumer les bougies et les lampes, et il laissa dans l'obscurité Mme Rosémilly, son père et son frère, puis il cria : «Arrivez!» en ouvrant toute grande la porte à deux battants.

La galerie vitrée, éclairée par un lustre et des verres de couleur cachés dans les palmiers, les caoutchoucs et les fleurs, apparaissait d'abord pareille à un décor de théâtre. Il y eut une seconde d'étonnement. Roland, émerveillé de ce luxe, murmura : «Nom d'un chien», saisi par l'envie de battre des mains comme devant les apothéoses.

Puis on pénétra dans le premier salon, petit, tendu avec une étoffe vieil or, pareille à celle des sièges. Le grand salon de consultation très simple, d'un rouge saumon pâle, avait grand air.

Jean s'assit dans le fauteuil devant son bureau chargé de livres, et d'une voix grave, un peu forcée :

— Oui, Madame, les textes de loi sont formels et me donnent, avec l'assentiment que je vous avais annoncé, l'absolue certitude qu'avant trois mois l'affaire dont nous nous sommes entretenus recevra une heureuse solution.

Il regardait Mme Rosémilly qui se mit à sourire en regardant Mme Roland ; et Mme Roland, lui prenant la main, la serra.

Jean, radieux, fit une gambade de collégien et s'écria :

— Hein, comme la voix porte bien. Il serait excellent pour plaider, ce salon.

Il se mit à déclamer :

— Si l'humanité seule, si ce sentiment de bienveillance naturelle que nous éprouvons pour toute souffrance devait être le mobile de l'acquittement que nous sollicitons de vous, nous ferions appel à votre pitié, messieurs les jurés, à votre cœur de père et d'homme ; mais nous avons pour nous le droit, et c'est la seule question du droit que nous allons soulever devant vous…

Pierre regardait ce logis qui aurait pu être le sien, et il s'irritait des gamineries de son frère, le jugeant, décidément, trop niais et pauvre d'esprit.

Mme Roland ouvrit une porte à droite.

— Voici la chambre à coucher, dit-elle.

Elle avait mis à la parer tout son amour de mère. La tenture était en cretonne[1] de Rouen qui imitait la vieille toile normande. Un dessin Louis XV — une bergère dans un médaillon que fermaient les becs unis de deux colombes — donnait aux murs, aux rideaux, au lit, aux fauteuils un air galant et champêtre tout à fait gentil.

— Oh! c'est charmant, dit Mme Rosémilly, devenue un peu sérieuse, en entrant dans cette pièce.

— Cela vous plaît? demanda Jean.

— Énormément.

— Si vous saviez comme ça me fait plaisir!

Ils se regardèrent une seconde, avec beaucoup de tendresse confiante au fond des yeux.

Elle était gênée un peu cependant, un peu confuse dans cette chambre à coucher qui serait sa chambre nuptiale. Elle avait remarqué, en entrant, que la couche était très large, une vraie couche de ménage, choisie par Mme Roland qui avait prévu sans doute et désiré le prochain mariage de son fils; et cette précaution de mère lui faisait plaisir cependant, semblait lui dire qu'on l'attendait dans la famille.

Puis quand on fut rentré dans le salon, Jean ouvrit brusquement la porte de gauche et on aperçut la salle à manger ronde, percée de trois fenêtres, et décorée en lanterne japonaise. La mère et le fils avaient mis là toute la fantaisie dont ils étaient capables. Cette pièce à meubles de bambou,

---

1. Toile de coton très forte.

à magots [1], à potiches, à soieries pailletées d'or, à stores transparents où des perles de verre semblaient des gouttes d'eau, à éventails cloués aux murs pour maintenir les étoffes, avec ses écrans, ses sabres, ses masques, ses grues faites en plumes véritables, tous ses menus bibelots de porcelaine, de bois, de papier, d'ivoire, de nacre et de bronze, avait l'aspect prétentieux et maniéré que donnent les mains inhabiles et les yeux ignorants aux choses qui exigent le plus de tact, de goût et d'éducation artiste. Ce fut celle cependant qu'on admira le plus. Pierre seul fit des réserves avec une ironie un peu amère dont son frère se sentit blessé.

Sur la table, les fruits se dressaient en pyramides, et les gâteaux s'élevaient en monuments.

On n'avait guère faim ; on suça les fruits et on grignota les pâtisseries plutôt qu'on ne les mangea. Puis, au bout d'une heure, Mme Rosémilly demanda la permission de se retirer.

Il fut décidé que le père Roland l'accompagnerait à sa porte et partirait immédiatement avec elle, tandis que Mme Roland, en l'absence de la bonne, jetterait son coup d'œil de mère sur le logis afin que son fils ne manquât de rien.

— Faut-il revenir te chercher ? demanda Roland.

Elle hésita, puis répondit :

— Non, mon gros, couche-toi. Pierre me ramènera.

Dès qu'ils furent partis, elle souffla les bougies, serra les gâteaux, le sucre et les liqueurs dans un meuble dont la clef fut remise à Jean ; puis elle passa dans la chambre à coucher, entrouvrit le lit, regarda si la carafe était remplie d'eau fraîche et la fenêtre bien fermée.

Pierre et Jean étaient demeurés dans le petit salon, celui-

---

1. Figurines en porcelaine représentant un personnage obèse, riant ou grimaçant, assis.

ci encore froissé de la critique faite sur son goût, et celui-là de plus en plus agacé de voir son frère dans ce logis.

Ils fumaient assis tous les deux, sans se parler. Pierre tout à coup se leva :

— Cristi ! dit-il, la veuve avait l'air bien vanné ce soir, les excursions ne lui réussissent pas.

Jean se sentit soulevé soudain par une de ces promptes et furieuses colères de débonnaires[1] blessés au cœur.

Le souffle lui manquait, tant son émotion était vive, et il balbutia :

— Je te défends désormais de dire « la veuve » quand tu parleras de Mme Rosémilly.

Pierre se tourna vers lui, hautain :

— Je crois que tu me donnes des ordres. Deviens-tu fou, par hasard ?

Jean aussitôt s'était dressé :

— Je ne deviens pas fou, mais j'en ai assez de tes manières envers moi.

Pierre ricana :

— Envers toi ? Est-ce que tu fais partie de Mme Rosémilly ?

— Sache que Mme Rosémilly va devenir ma femme.

L'autre rit plus fort :

— Ah ! ah ! très bien. Je comprends maintenant pourquoi je ne devrai plus l'appeler « la veuve ». Mais tu as pris une drôle de manière pour m'annoncer ton mariage.

— Je te défends de plaisanter... tu entends... je te le défends.

Jean s'était approché, pâle, la voix tremblante, exaspéré de cette ironie poursuivant la femme qu'il aimait et qu'il avait choisie.

Mais Pierre soudain devint aussi furieux. Tout ce qui s'amassait en lui de colères impuissantes, de rancunes écra-

---

1. Doux jusqu'à la faiblesse.

sées, de révoltes domptées depuis quelque temps et de désespoir silencieux, lui montant à la tête, l'étourdit comme un coup de sang.

— Tu oses?... Tu oses?... Et moi je t'ordonne de te taire, tu entends, je te l'ordonne.

Jean, surpris de cette violence, se tut quelques secondes, cherchant, dans ce trouble d'esprit où nous jette la fureur, la chose, la phrase, le mot, qui pourrait blesser son frère jusqu'au cœur.

Il reprit, en s'efforçant de se maîtriser pour bien frapper, de ralentir sa parole pour la rendre plus aiguë :

— Voilà longtemps que je te sais jaloux de moi, depuis le jour où tu as commencé à dire «la veuve» parce que tu as compris que cela me faisait mal.

Pierre poussa un de ces rires stridents et méprisants qui lui étaient familiers :

— Ah! ah! mon Dieu! Jaloux de toi!... moi?... moi?... moi?... et de quoi?... de quoi, mon Dieu?... de ta figure ou de ton esprit?...

Mais Jean sentit bien qu'il avait touché la plaie de cette âme.

— Oui, tu es jaloux de moi, et jaloux depuis l'enfance, et tu es devenu furieux quand tu as vu que cette femme me préférait et qu'elle ne voulait pas de toi.

Pierre bégayait, exaspéré de cette supposition :

— Moi... moi... jaloux de toi? à cause de cette cruche, de cette dinde, de cette oie grasse?...

Jean qui voyait porter ses coups reprit :

— Et le jour où tu as essayé de ramer plus fort que moi, dans la *Perle*? Et tout ce que tu dis devant elle pour te faire valoir? Mais tu crèves de jalousie! Et quand cette fortune m'est arrivée, tu es devenu enragé, et tu m'as détesté, et tu l'as montré de toutes les manières, et tu as fait souffrir tout le monde, et tu n'es pas une heure sans cracher la bile qui t'étouffe.

Pierre ferma ses poings de fureur avec une envie irrésistible de sauter sur son frère et de le prendre à la gorge.

— Ah! tais-toi, cette fois, ne parle point de cette fortune.

Jean s'écria :

— Mais la jalousie te suinte de la peau. Tu ne dis pas un mot à mon père, à ma mère ou à moi, où elle n'éclate. Tu feins de me mépriser parce que tu es jaloux! tu cherches querelle à tout le monde parce que tu es jaloux. Et maintenant que je suis riche, tu ne te contiens plus, tu es devenu venimeux, tu tortures notre mère comme si c'était sa faute!...

Pierre avait reculé jusqu'à la cheminée, la bouche entrouverte, l'œil dilaté, en proie à une de ces folies de rage qui font commettre des crimes.

Il répéta d'une voix plus basse, mais haletante :

— Tais-toi, tais-toi donc!

— Non. Voilà longtemps que je voulais te dire ma pensée entière; tu m'en donnes l'occasion, tant pis pour toi. J'aime une femme! Tu le sais et tu la railles devant moi, tu me pousses à bout; tant pis pour toi. Mais je casserai tes dents de vipère, moi! Je te forcerai à me respecter.

— Te respecter, toi?

— Oui, moi!

— Te respecter... toi... qui nous as tous déshonorés, par ta cupidité!

— Tu dis? Répète... répète?...

— Je dis qu'on n'accepte pas la fortune d'un homme quand on passe pour le fils d'un autre.

Jean demeurait immobile, ne comprenant pas, effaré devant l'insinuation qu'il pressentait :

— Comment? Tu dis... répète encore?

— Je dis ce que tout le monde chuchote, ce que tout le monde colporte, que tu es le fils de l'homme qui t'a laissé sa fortune. Eh bien ! un garçon propre n'accepte pas l'argent qui déshonore sa mère.

— Pierre... Pierre... Pierre... y songes-tu ?... Toi... c'est toi... toi... qui prononces cette infamie ?

— Oui... moi... c'est moi. Tu ne vois donc point que j'en crève de chagrin depuis un mois, que je passe mes nuits sans dormir et mes jours à me cacher comme une bête, que je ne sais plus ce que je dis ni ce que je fais, ni ce que je deviendrai tant je souffre, tant je suis affolé de honte et de douleur, car j'ai deviné d'abord et je sais maintenant.

— Pierre... Tais-toi... Maman est dans la chambre à côté ! Songe qu'elle peut nous entendre... qu'elle nous entend...

Mais il fallait qu'il vidât son cœur ! et il dit tout, ses soupçons, ses raisonnements, ses luttes, sa certitude, et l'histoire du portrait encore une fois disparu.

Il parlait par phrases courtes, hachées, presque sans suite, des phrases d'halluciné.

Il semblait maintenant avoir oublié Jean et sa mère dans la pièce voisine. Il parlait comme si personne ne l'écoutait, parce qu'il devait parler, parce qu'il avait trop souffert, trop comprimé et refermé sa plaie. Elle avait grossi comme une tumeur, et cette tumeur venait de crever, éclaboussant tout le monde. Il s'était mis à marcher comme il faisait presque toujours ; et les yeux fixes devant lui, gesticulant, dans une frénésie de désespoir, avec des sanglots dans la gorge, des retours de haine contre lui-même, il parlait comme s'il eût confessé sa misère et la misère des siens, comme s'il eût jeté sa peine à l'air invisible et sourd où s'envolaient ses paroles.

Jean éperdu, et presque convaincu soudain par l'énergie

aveugle de son frère, s'était adossé contre la porte derrière laquelle il devinait que leur mère les avait entendus.

Elle ne pouvait point sortir ; il fallait passer par le salon. Elle n'était point revenue ; donc elle n'avait pas osé.

Pierre tout à coup, frappant du pied, cria :

— Tiens, je suis un cochon d'avoir dit ça !

Et il s'enfuit, nu-tête, dans l'escalier.

Le bruit de la grande porte de la rue, retombant avec fracas, réveilla Jean de la torpeur profonde où il était tombé. Quelques secondes s'étaient écoulées, plus longues que des heures, et son âme s'était engourdie dans un hébétement d'idiot. Il sentait bien qu'il lui faudrait penser tout à l'heure, et agir, mais il attendait, ne voulant même plus comprendre, savoir, se rappeler, par peur, par faiblesse, par lâcheté. Il était de la race des temporiseurs qui remettent toujours au lendemain ; et quand il lui fallait, sur-le-champ, prendre une résolution, il cherchait encore, par instinct, à gagner quelques moments.

Mais le silence profond qui l'entourait maintenant, après les vociférations de Pierre, ce silence subit des murs, des meubles, avec cette lumière vive des six bougies et des deux lampes, l'effraya si fort tout à coup qu'il eut envie de se sauver aussi.

Alors il secoua sa pensée, il secoua son cœur, et il essaya de réfléchir.

Jamais il n'avait rencontré une difficulté dans sa vie. Il est des hommes qui se laissent aller comme l'eau qui coule. Il avait fait ses classes avec soin, pour n'être pas puni, et terminé ses études de droit avec régularité parce que son existence était calme. Toutes les choses du monde lui paraissaient naturelles sans éveiller autrement son attention. Il aimait l'ordre, la sagesse, le repos par tempérament, n'ayant point de replis dans l'esprit ; et il demeurait, devant cette catastrophe, comme un homme qui tombe à l'eau sans avoir jamais nagé.

Il essaya de douter d'abord. Son frère avait menti par haine et par jalousie ?

Et pourtant, comment aurait-il été assez misérable pour dire de leur mère une chose pareille s'il n'avait pas été lui-même égaré par le désespoir ? Et puis Jean gardait dans l'oreille, dans le regard, dans les nerfs, jusque dans le fond de la chair, certaines paroles, certains cris de souffrance, des intonations et des gestes de Pierre, si douloureux qu'ils étaient irrésistibles, aussi irrécusables que la certitude.

Il demeurait trop écrasé pour faire un mouvement ou pour avoir une volonté. Sa détresse devenait intolérable ; et il sentait que, derrière la porte, sa mère était là qui avait tout entendu et qui attendait.

Que faisait-elle ? Pas un mouvement, pas un frisson, pas un souffle, pas un soupir ne révélait la présence d'un être derrière cette planche. Se serait-elle sauvée ? Mais par où ? Si elle s'était sauvée… elle avait donc sauté de la fenêtre dans la rue !

Un sursaut de frayeur le souleva, si prompt et si dominateur qu'il enfonça plutôt qu'il n'ouvrit la porte et se jeta dans sa chambre.

Elle semblait vide. Une seule bougie l'éclairait, posée sur la commode.

Jean s'élança vers la fenêtre, elle était fermée, avec les volets clos. Il se retourna, fouillant les coins noirs de son regard anxieux, et il s'aperçut que les rideaux du lit avaient été tirés. Il y courut et les ouvrit. Sa mère était étendue sur sa couche, la figure enfouie dans l'oreiller, qu'elle avait ramené de ses deux mains crispées sur sa tête, pour ne plus entendre.

Il la crut d'abord étouffée. Puis l'ayant saisie par les

épaules, il la retourna sans qu'elle lâchât l'oreiller qui lui cachait le visage et qu'elle mordait pour ne pas crier.

Mais le contact de ce corps raidi, de ces bras crispés, lui communiqua la secousse de son indicible torture. L'énergie et la force dont elle retenait avec ses doigts et avec ses dents la toile gonflée de plumes sur sa bouche, sur ses yeux et sur ses oreilles pour qu'il ne la vît point et ne lui parlât pas, lui fit deviner, par la commotion qu'il reçut, jusqu'à quel point on peut souffrir. Et son cœur, son simple cœur, fut déchiré de pitié. Il n'était pas un juge, lui, même un juge miséricordieux, il était un homme plein de faiblesse et un fils plein de tendresse. Il ne se rappela rien de ce que l'autre lui avait dit, il ne raisonna pas et ne discuta point, il toucha seulement de ses deux mains le corps inerte de sa mère, et ne pouvant arracher l'oreiller de sa figure, il cria en baisant sa robe :

— Maman, maman, ma pauvre maman, regarde-moi !

Elle aurait semblé morte si tous ses membres n'eussent été parcourus d'un frémissement presque insensible, d'une vibration de corde tendue. Il répétait :

— Maman, maman, écoute-moi. Ça n'est pas vrai. Je sais bien que ça n'est pas vrai.

Elle eut un spasme, une suffocation, puis tout à coup elle sanglota dans l'oreiller. Alors tous ses nerfs se détendirent, ses muscles raidis s'amollirent, ses doigts s'entrouvrant lâchèrent la toile ; et il lui découvrit la face.

Elle était toute pâle, toute blanche, et de ses paupières fermées on voyait couler des gouttes d'eau. L'ayant enlacée par le cou, il lui baisa les yeux, lentement, par grands baisers désolés qui se mouillaient à ses larmes, et il disait toujours :

— Maman, ma chère maman, je sais bien que ça n'est pas vrai. Ne pleure pas, je le sais ! Ça n'est pas vrai !

Elle se souleva, s'assit, le regarda, et avec un de ces efforts de courage qu'il faut, en certains cas, pour se tuer, elle lui dit :

— Non, c'est vrai, mon enfant.

Et ils restèrent sans paroles, l'un devant l'autre. Pendant quelques instants encore elle suffoqua, tendant la gorge, en renversant la tête pour respirer, puis elle se vainquit de nouveau et reprit :

— C'est vrai, mon enfant. Pourquoi mentir ? C'est vrai. Tu ne me croirais pas, si je mentais.

Elle avait l'air d'une folle. Saisi de terreur, il tomba à genoux près du lit en murmurant :

— Tais-toi, maman, tais-toi.

Elle s'était levée, avec une résolution et une énergie effrayantes :

— Mais je n'ai plus rien à te dire, mon enfant, adieu.

Et elle marcha vers la porte.

Il la saisit à pleins bras, criant :

— Qu'est-ce que tu fais, maman, où vas-tu ?

— Je ne sais pas… est-ce que je sais… je n'ai plus rien à faire… puisque je suis toute seule.

Elle se débattait pour s'échapper. La retenant, il ne trouvait qu'un mot à lui répéter :

— Maman… maman… maman…

Et elle disait dans ses efforts pour rompre cette étreinte :

— Mais non, mais non, je ne suis plus ta mère maintenant, je ne suis plus rien pour toi, pour personne, plus rien, plus rien ! Tu n'as plus ni père ni mère, mon pauvre enfant… adieu.

Il comprit brusquement que s'il la laissait partir il ne la reverrait jamais, et, l'enlevant, il la porta sur un fauteuil, l'assit de force, puis s'agenouillant et formant une chaîne de ses bras :

— Tu ne sortiras point d'ici, maman ; moi je t'aime et je te garde. Je te garde toujours, tu es à moi.

Elle murmura d'une voix accablée :

— Non, mon pauvre garçon, ça n'est plus possible. Ce soir tu pleures, et demain tu me jetterais dehors. Tu ne me pardonnerais pas non plus.

Il répondit avec un si grand élan de si sincère amour :

— Oh! moi? moi? Comme tu me connais peu! — qu'elle poussa un cri, lui prit la tête par les cheveux, à pleines mains, l'attira avec violence et le baisa éperdument à travers la figure.

Puis elle demeura immobile, la joue contre la joue de son fils, sentant à travers sa barbe, la chaleur de sa chair; et elle lui dit, tout bas, dans l'oreille :

— Non, mon petit Jean. Tu ne me pardonnerais pas demain. Tu le crois et tu te trompes. Tu m'as pardonné ce soir, et ce pardon-là m'a sauvé la vie; mais il ne faut plus que tu me voies.

Il répéta, en l'étreignant :

— Maman, ne dis pas ça!

— Si, mon petit, il faut que je m'en aille. Je ne sais pas où, ni comment je m'y prendrai, ni ce que je dirai, mais il le faut. Je n'oserais plus te regarder, ni t'embrasser, comprends-tu?

Alors, à son tour, il lui dit, tout bas, dans l'oreille :

— Ma petite mère, tu resteras, parce que je le veux, parce que j'ai besoin de toi. Et tu vas me jurer de m'obéir, tout de suite.

— Non, mon enfant.

— Oh! maman, il le faut, tu entends. Il le faut.

— Non, mon enfant, c'est impossible. Ce serait nous condamner tous à l'enfer. Je sais ce que c'est, moi, que ce supplice-là, depuis un mois. Tu es attendri, mais quand ce sera passé, quand tu me regarderas comme me regarde Pierre, quand tu te rappelleras ce que je t'ai dit!... Oh!... mon petit Jean, songe... songe que je suis ta mère!...

— Je ne veux pas que tu me quittes, maman. Je n'ai que toi.

— Mais pense, mon fils, que nous ne pourrons plus nous voir sans rougir tous les deux, sans que je me sente mourir de honte et sans que tes yeux fassent baisser les miens.

— Ça n'est pas vrai, maman.

— Oui, oui, oui, c'est vrai ! Oh ! j'ai compris, va, toutes les luttes de ton pauvre frère, toutes, depuis le premier jour. Maintenant, lorsque je devine son pas dans la maison, mon cœur saute à briser ma poitrine, lorsque j'entends sa voix, je sens que je vais m'évanouir. Je t'avais encore, toi ! Maintenant, je ne t'ai plus. Oh ! mon petit Jean, crois-tu que je pourrais vivre entre vous deux ?

— Oui, maman. Je t'aimerai tant que tu n'y penseras plus.

— Oh ! oh ! comme si c'était possible !

— Oui, c'est possible.

— Comment veux-tu que je n'y pense plus entre ton frère et toi ? Est-ce que vous n'y penserez plus, vous ?

— Moi. Je te le jure !

— Mais tu y penseras à toutes les heures du jour.

— Non, je te le jure. Et puis, écoute : si tu pars, je m'engage et je me fais tuer.

Elle fut bouleversée par cette menace puérile et étreignit Jean en le caressant avec une tendresse passionnée. Il reprit :

— Je t'aime plus que tu ne crois, va, bien plus, bien plus. Voyons, sois raisonnable. Essaye de rester seulement huit jours. Veux-tu me promettre huit jours ? Tu ne peux pas me refuser ça ?

Elle posa ses deux mains sur les épaules de Jean, et le tenant à la longueur de ses bras :

— Mon enfant... tâchons d'être calmes et de ne pas nous attendrir. Laisse-moi te parler d'abord. Si je devais une seule fois entendre sur tes lèvres ce que j'entends depuis un mois dans la bouche de ton frère, si je devais une seule fois voir dans tes yeux ce que je lis dans les siens, si je devais deviner rien que par un mot ou par un regard que je te suis odieuse comme à lui… une heure après, tu entends, une heure après… je serais partie pour toujours.

— Maman, je te jure…

— Laisse-moi parler… Depuis un mois j'ai souffert tout ce qu'une créature peut souffrir. À partir du moment où j'ai compris que ton frère, que mon autre fils me soupçonnait, et qu'il devinait, minute par minute, la vérité, tous les instants de ma vie ont été un martyre qu'il est impossible de t'exprimer.

Elle avait une voix si douloureuse que la contagion de sa torture emplit de larmes les yeux de Jean.

Il voulut l'embrasser, mais elle le repoussa.

— Laisse-moi… écoute… j'ai encore tant de choses à te dire pour que tu comprennes… mais tu ne comprendras pas… c'est que… si je devais rester… il faudrait… Non, je ne peux pas !…

— Dis, maman, dis.

— Eh bien ! oui. Au moins je ne t'aurai pas trompé… Tu veux que je reste avec toi, n'est-ce pas ? Pour cela, pour que nous puissions nous voir encore, nous parler, nous rencontrer toute la journée dans la maison, car je n'ose plus ouvrir une porte dans la peur de trouver ton frère derrière elle, pour cela il faut, non pas que tu me pardonnes, — rien ne fait plus de mal qu'un pardon, — mais que tu ne m'en veuilles pas de ce que j'ai fait… Il faut que tu te sentes assez fort, assez différent de tout le monde pour te dire que tu n'es pas le fils de Roland, sans rougir de cela et sans me mépriser !… Moi j'ai assez souffert… j'ai trop souffert, je ne peux plus, non, je ne peux plus ! Et ce n'est pas d'hier, va, c'est de longtemps… Mais tu ne pourras jamais comprendre ça, toi ! Pour que nous puissions encore vivre ensemble, et nous embrasser, mon petit Jean, dis-toi bien que si j'ai été la maîtresse de ton père, j'ai été encore plus sa femme, sa vraie femme, que je n'en ai pas honte au fond du cœur, que je ne regrette rien, que je l'aime encore tout mort qu'il est, que je l'aimerai toujours, que je n'ai aimé que lui, qu'il a été toute ma vie, toute ma joie, tout mon espoir, toute ma consolation, tout, tout, tout pour moi, pendant si longtemps ! Écoute, mon petit : devant Dieu qui m'entend, je n'aurais jamais rien eu de bon dans l'existence, si je ne l'avais pas rencontré, jamais rien, pas une tendresse, pas une douceur, pas une de ces heures qui nous font tant regretter de vieillir, rien ! Je lui dois tout ! Je n'ai eu que lui au monde, et puis vous deux, ton frère et toi. Sans vous ce serait vide, noir et vide comme la nuit. Je n'aurais jamais aimé rien, rien connu, rien désiré, je n'aurais pas seulement pleuré, car j'ai pleuré, mon petit Jean. Oh ! oui, j'ai pleuré, depuis que nous sommes venus ici. Je m'étais donnée à lui tout entière, corps et âme, pour toujours, avec bonheur, et pendant plus de dix ans j'ai été sa femme comme il a été mon mari devant Dieu qui nous avait faits l'un pour l'autre. Et puis, j'ai compris qu'il m'aimait moins. Il était toujours bon et prévenant, mais je n'étais plus pour lui ce que j'avais été. C'était fini ! Oh ! que j'ai pleuré !... Comme c'est misérable et trompeur, la vie !... Il n'y a rien qui dure... Et nous sommes arrivés ici ; et jamais je ne l'ai plus revu, jamais il n'est venu... Il promettait dans toutes ses lettres !... Je l'attendais toujours !... et je ne l'ai plus revu !... et voilà qu'il est mort ! Mais il nous aimait encore puisqu'il a pensé à toi. Moi je l'aimerai jusqu'à mon dernier soupir, et je ne le renierai jamais, et je t'aime parce que tu es son enfant, et je ne pourrais pas avoir honte de lui devant toi ! Comprends-tu ? je ne pourrais pas ! Si tu veux que je reste, il faut que tu acceptes d'être son fils et que nous parlions de lui quelquefois, et que tu l'aimes un peu, et que nous pensions à lui quand nous nous regarderons. Si tu ne veux pas, si tu ne peux pas, adieu, mon petit, il est impossible que nous restions ensemble maintenant! je ferai ce que tu décideras.

Jean répondit d'une voix douce :

— Reste, maman.

Elle le serra dans ses bras et se remit à pleurer; puis elle reprit, la joue contre sa joue :

— Oui, mais Pierre? Qu'allons-nous devenir avec lui!

Jean murmura :

— Nous trouverons quelque chose. Tu ne peux plus vivre auprès de lui.

Au souvenir de l'aîné elle fut crispée d'angoisse.

— Non! je ne puis plus, non! non!

Et se jetant sur le cœur de Jean, elle s'écria, l'âme en détresse :

— Sauve-moi de lui, toi, mon petit, sauve-moi, fais quelque chose, je ne sais pas… trouve… sauve-moi!

— Oui, maman, je chercherai.

— Tout de suite… il faut… Tout de suite… ne me quitte pas! J'ai si peur de lui… si peur!

— Oui, je trouverai. Je te promets.

— Oh! mais vite, vite! Tu ne comprends pas ce qui se passe en moi quand je le vois.

Puis elle lui murmura tout bas, dans l'oreille :

— Garde-moi ici, chez toi.

Il hésita, réfléchit et comprit, avec son bon sens positif, le danger de cette combinaison.

Mais il dut raisonner longtemps, discuter, combattre avec des arguments précis son affolement et sa terreur.

— Seulement ce soir, disait-elle, seulement cette nuit. Tu feras dire demain à Roland que je me suis trouvée malade.

— Ce n'est pas possible, puisque Pierre est rentré. Voyons, aie du courage. J'arrangerai tout, je te le promets, dès demain. Je serai à neuf heures à la maison. Voyons, mets ton chapeau. Je vais te reconduire.

— Je ferai ce que tu voudras, dit-elle avec un abandon enfantin, craintif et reconnaissant.

Elle essaya de se lever ; mais la secousse avait été trop forte ; elle ne pouvait encore se tenir sur ses jambes.

Alors il lui fit boire de l'eau sucrée, respirer de l'alcali [1], et il lui lava les tempes avec du vinaigre. Elle se laissait faire, brisée et soulagée comme après un accouchement.

Elle put enfin marcher et prit son bras. Trois heures sonnaient quand ils passèrent à l'hôtel de ville.

Devant la porte de leur logis il l'embrassa et lui dit : « Adieu, maman, bon courage. »

Elle monta, à pas furtifs, l'escalier silencieux, entra dans sa chambre, se dévêtit bien vite, et se glissa, avec l'émotion retrouvée des adultères anciens, auprès de Roland qui ronflait.

Seul dans la maison, Pierre ne dormait pas et l'avait entendue revenir.

---

1. Ammoniaque, qui est censé, comme le vinaigre, ranimer.

8

Quand il fut rentré dans son appartement, Jean s'affaissa sur un divan, car les chagrins et les soucis qui donnaient à son frère des envies de courir et de fuir comme une bête chassée, agissant diversement sur sa nature somnolente, lui cassaient les jambes et les bras. Il se sentait mou à ne plus faire un mouvement, à ne pouvoir gagner son lit, mou de corps et d'esprit, écrasé et désolé. Il n'était point frappé, comme l'avait été Pierre, dans la pureté de son amour filial, dans cette dignité secrète qui est l'enveloppe des cœurs fiers, mais accablé par un coup du destin qui menaçait en même temps ses intérêts les plus chers.

Quand son âme enfin se fut calmée, quand sa pensée se fut éclaircie ainsi qu'une eau battue et remuée, il envisagea la situation qu'on venait de lui révéler. S'il eût appris de toute autre manière le secret de sa naissance, il se serait assurément indigné et aurait ressenti un profond chagrin ; mais après sa querelle avec son frère, après cette délation[1] violente et brutale ébranlant ses nerfs, l'émotion poignante de la confession de sa mère le laissa sans énergie pour se révolter. Le choc reçu par sa sensibilité avait été assez fort pour emporter, dans un irrésistible attendrissement, tous

---

1. Dénonciation.

les préjugés et toutes les saintes susceptibilités de la morale naturelle. D'ailleurs, il n'était pas un homme de résistance. Il n'aimait lutter contre personne et encore moins contre lui-même ; il se résigna donc, et, par un penchant instinctif, par un amour inné du repos, de la vie douce et tranquille, il s'inquiéta aussitôt des perturbations qui allaient surgir autour de lui et l'atteindre du même coup. Il les pressentait inévitables, et, pour les écarter, il se décida à des efforts surhumains d'énergie et d'activité. Il fallait que tout de suite, dès le lendemain, la difficulté fût tranchée, car il avait aussi par instants ce besoin impérieux des solutions immédiates qui constitue toute la force des faibles, incapables de vouloir longtemps. Son esprit d'avocat, habitué d'ailleurs à démêler et à étudier les situations compliquées, les questions d'ordre intime, dans les familles troublées, découvrit immédiatement toutes les conséquences prochaines de l'état d'âme de son frère. Malgré lui il en envisageait les suites à un point de vue presque professionnel, comme s'il eût réglé les relations futures de clients après une catastrophe d'ordre moral. Certes un contact continuel avec Pierre lui devenait impossible. Il l'éviterait facilement en restant chez lui, mais il était encore inadmissible que leur mère continuât à demeurer sous le même toit que son fils aîné.

Et longtemps il médita, immobile sur les coussins, imaginant et rejetant des combinaisons sans trouver rien qui pût le satisfaire.

Mais une idée soudaine l'assaillit : — Cette fortune qu'il avait reçue, un honnête homme la garderait-il ?

Il se répondit : « Non, » d'abord, et se décida à la donner aux pauvres. C'était dur, tant pis. Il vendrait son mobilier et travaillerait comme un autre, comme travaillent tous ceux qui débutent. Cette résolution virile et douloureuse fouettant son courage, il se leva et vint poser son front contre les vitres. Il avait été pauvre, il redeviendrait pauvre. Il n'en

mourrait pas, après tout. Ses yeux regardaient le bec de gaz
qui brûlait en face de lui de l'autre côté de la rue. Or, comme
une femme attardée passait sur le trottoir, il songea brusquement à Mme Rosémilly, et il reçut au cœur la secousse
des émotions profondes nées en nous d'une pensée cruelle.
Toutes les conséquences désespérantes de sa décision lui
apparurent en même temps. Il devrait renoncer à épouser
cette femme, renoncer au bonheur, renoncer à tout. Pou-
vait-il agir ainsi, maintenant qu'il s'était engagé vis-à-vis d'elle ?
Elle l'avait accepté le sachant riche. Pauvre, elle l'accepterait
encore ; mais avait-il le droit de lui demander, de lui impo-
ser ce sacrifice ? Ne valait-il pas mieux garder cet argent
comme un dépôt qu'il restituerait plus tard aux indigents [1] ?

Et dans son âme où l'égoïsme prenait des masques honnêtes, tous les intérêts déguisés luttaient et se combattaient.
Les scrupules premiers cédaient la place aux raisonnements
ingénieux, puis reparaissaient, puis s'effaçaient de nouveau.

Il revint s'asseoir, cherchant un motif décisif, un prétexte
tout puissant pour fixer ses hésitations et convaincre sa
droiture native. Vingt fois déjà il s'était posé cette question :
« Puisque je suis le fils de cet homme, que je le sais et que
je l'accepte, n'est-il pas naturel que j'accepte aussi son héritage ? » Mais cet argument ne pouvait empêcher le « non »
murmuré par la conscience intime.

Soudain il songea : « Puisque je ne suis pas le fils de celui
que j'avais cru être mon père, je ne puis plus rien accepter
de lui, ni de son vivant, ni après sa mort. Ce ne serait ni
digne ni équitable. Ce serait voler mon frère. »

Cette nouvelle manière de voir l'ayant soulagé, ayant
apaisé sa conscience, il retourna vers la fenêtre.

« Oui, se disait-il, il faut que je renonce à l'héritage de ma
famille, que je le laisse à Pierre tout entier, puisque je ne

---

1. Pauvres.

suis pas l'enfant de son père. Cela est juste. Alors n'est-il pas juste aussi que je garde l'argent de mon père à moi ? »

Ayant reconnu qu'il ne pouvait profiter de la fortune de Roland, s'étant décidé à l'abandonner intégralement, il consentit donc et se résigna à garder celle de Maréchal, car en repoussant l'une et l'autre il se trouverait réduit à la pure mendicité.

Cette affaire délicate une fois réglée, il revint à la question de la présence de Pierre dans la famille. Comment l'écarter ? Il désespérait de découvrir une solution pratique, quand le sifflet d'un vapeur entrant au port sembla lui jeter une réponse en lui suggérant une idée.

Alors il s'étendit tout habillé sur son lit et rêvassa jusqu'au jour.

Vers neuf heures il sortit pour s'assurer si l'exécution de son projet était possible. Puis, après quelques démarches et quelques visites, il se rendit à la maison de ses parents. Sa mère l'attendait enfermée dans sa chambre.

— Si tu n'étais pas venu, dit-elle, je n'aurais jamais osé descendre.

On entendit aussitôt Roland qui criait dans l'escalier :

— On ne mange donc point aujourd'hui, nom d'un chien !

On ne répondit pas et il hurla :

— Joséphine, nom de Dieu ! qu'est-ce que vous faites ?

La voix de la bonne sortit des profondeurs du sous-sol :

— V'là, M'sieu, qué qui faut ?

— Où est Madame ?

— Madame est en haut avec m'sieu Jean !

Alors il vociféra en levant la tête vers l'étage supérieur :

— Louise ?

Mme Roland entrouvrit la porte et répondit :

— Quoi ? mon ami.

— On ne mange donc pas, nom d'un chien !

— Voilà, mon ami, nous venons.

Et elle descendit, suivie de Jean.

Roland s'écria en apercevant le jeune homme :

— Tiens, te voilà, toi ! Tu t'embêtes déjà dans ton logis.

— Non, père, mais j'avais à causer avec maman ce matin.

Jean s'avança, la main ouverte, et quand il sentit se refermer sur ses doigts l'étreinte paternelle du vieillard, une émotion bizarre et imprévue le crispa, l'émotion des séparations et des adieux sans espoir de retour.

Mme Roland demanda :

— Pierre n'est pas arrivé ?

Son mari haussa les épaules :

— Non, mais tant pis, il est toujours en retard. Commençons sans lui.

Elle se tourna vers Jean :

— Tu devrais aller le chercher, mon enfant ; ça le blesse quand on ne l'attend pas.

— Oui, maman, j'y vais.

Et le jeune homme sortit.

Il monta l'escalier, avec la résolution fiévreuse d'un craintif qui va se battre.

Quand il eut heurté la porte, Pierre répondit :

— Entrez.

Il entra.

L'autre écrivait, penché sur sa table.

— Bonjour, dit Jean.

Pierre se leva.

— Bonjour.

Et ils se tendirent la main comme si rien ne s'était passé.

— Tu ne descends pas déjeuner ?

— Mais... c'est que... j'ai beaucoup à travailler.

La voix de l'aîné tremblait, et son œil anxieux demandait au cadet ce qu'il allait faire.

— On t'attend.

— Ah! est-ce que... est-ce que notre mère est en bas?...

— Oui, c'est même elle qui m'a envoyé te chercher.

— Ah! alors... je descends.

Devant la porte de la salle il hésita à se montrer le premier; puis il l'ouvrit d'un geste saccadé, et il aperçut son père et sa mère assis à table, face à face.

Il s'approcha d'elle d'abord sans lever les yeux, sans prononcer un mot, et s'étant penché il lui tendit son front à baiser comme il faisait depuis quelque temps, au lieu de l'embrasser sur les joues comme jadis. Il devina qu'elle approchait sa bouche, mais il ne sentit point les lèvres sur sa peau, et il se redressa, le cœur battant, après ce simulacre de caresse.

Il se demandait : « Que se sont-ils dit, après mon départ? »

Jean répétait avec tendresse « mère » et « chère maman », prenait soin d'elle, la servait et lui versait à boire. Pierre alors comprit qu'ils avaient pleuré ensemble, mais il ne put pénétrer leur pensée! Jean croyait-il sa mère coupable ou son frère un misérable?

Et tous les reproches qu'il s'était faits d'avoir dit l'horrible chose l'assaillirent de nouveau, lui serrant la gorge et lui fermant la bouche, l'empêchant de manger et de parler.

Il était envahi maintenant par un besoin de fuir intolérable, de quitter cette maison qui n'était plus sienne, ces gens qui ne tenaient plus à lui que par d'imperceptibles liens. Et il aurait voulu partir sur l'heure, n'importe où, sentant que c'était fini, qu'il ne pouvait plus rester près d'eux, qu'il les torturerait toujours malgré lui, rien que par sa présence, et qu'ils lui feraient souffrir sans cesse un insoutenable supplice.

Jean parlait, causait avec Roland. Pierre n'écoutant pas, n'entendait point. Il crut sentir cependant une intention dans la voix de son frère et prit garde au sens des paroles.

Jean disait :

— Ce sera, paraît-il, le plus beau bâtiment de leur flotte. On parle de six mille cinq cents tonneaux[1]. Il fera son premier voyage le mois prochain.

Roland s'étonnait :

— Déjà ! Je croyais qu'il ne serait pas en état de prendre la mer cet été.

— Pardon ; on a poussé les travaux avec ardeur pour que la première traversée ait lieu avant l'automne. J'ai passé ce matin aux bureaux de la Compagnie et j'ai causé avec un des administrateurs.

— Ah ! ah ! lequel ?

— M. Marchand, l'ami particulier du président du conseil d'administration.

— Tiens, tu le connais ?

— Oui. Et puis j'avais un petit service à lui demander.

— Ah ! alors tu me feras visiter en grand détail la *Lorraine* dès qu'elle entrera dans le port, n'est-ce pas ?

— Certainement, c'est très facile !

Jean paraissait hésiter, chercher ses phrases, poursuivre une introuvable transition. Il reprit :

— En somme, c'est une vie très acceptable qu'on mène sur ces grands transatlantiques. On passe plus de la moitié des mois à terre dans deux villes superbes, New York et le Havre, et le reste en mer avec des gens charmants. On peut même faire là des connaissances très agréables et très utiles pour plus tard, oui, très utiles, parmi les passagers. Songe que le capitaine, avec les économies sur le charbon, peut arriver à vingt-cinq mille francs par an, sinon plus[2]...

Roland fit un «bigre !» suivi d'un sifflement, qui témoi-

---

1. Unité de volume.
2. Le capitaine dispose d'une somme pour l'achat du charbon. Il peut donc y gagner s'il en économise.

gnait d'un profond respect pour la somme et pour le capitaine.

Jean reprit :

— Le commissaire de bord peut atteindre dix mille, et le médecin a cinq mille de traitement fixe, avec logement, nourriture, éclairage, chauffage, service, etc., etc. Ce qui équivaut à dix mille au moins, c'est très beau.

Pierre, qui avait levé les yeux, rencontra ceux de son frère, et le comprit.

Alors, après une hésitation, il demanda :

— Est-ce très difficile à obtenir, les places de médecin sur un transatlantique ?

— Oui et non. Tout dépend des circonstances et des protections.

Il y eut un long silence, puis le docteur reprit :

— C'est le mois prochain que part la *Lorraine* ?

— Oui, le sept.

Et ils se turent.

Pierre songeait. Certes ce serait une solution s'il pouvait s'embarquer comme médecin sur ce paquebot. Plus tard on verrait ; il le quitterait peut-être. En attendant il y gagnerait sa vie sans demander rien à sa famille. Il avait dû, l'avant-veille, vendre sa montre, car maintenant il ne tendait plus la main devant sa mère ! Il n'avait donc aucune ressource, hors celle-là, aucun moyen de manger d'autre pain que le pain de la maison inhabitable, de dormir dans un autre lit, sous un autre toit. Il dit alors, en hésitant un peu :

— Si je pouvais, je partirais volontiers là-dessus, moi.

Jean demanda :

— Pourquoi ne pourrais-tu pas ?

— Parce que je ne connais personne à la Compagnie transatlantique.

Roland demeurait stupéfait :

— Et tous tes beaux projets de réussite, que deviennent-ils ?

Pierre murmura :

— Il y a des jours où il faut savoir tout sacrifier, et renoncer aux meilleurs espoirs. D'ailleurs, ce n'est qu'un début, un moyen d'amasser quelques milliers de francs pour m'établir ensuite.

Son père, aussitôt, fut convaincu :

— Ça, c'est vrai. En deux ans tu peux mettre de côté six ou sept mille francs, qui bien employés te mèneront loin. Qu'en penses-tu, Louise ?

Elle répondit d'une voix basse, presque inintelligible :

— Je pense que Pierre a raison.

Roland s'écria :

— Mais je vais en parler à M. Poulin, que je connais beaucoup ! Il est juge au tribunal de commerce et il s'occupe des affaires de la Compagnie. J'ai aussi M. Lenient, l'armateur qui est intime avec un des vice-présidents.

Jean demanda à son frère :

— Veux-tu que je tâte aujourd'hui même M. Marchand ?

— Oui, je veux bien.

Pierre reprit, après avoir songé quelques instants :

— Le meilleur moyen serait peut-être encore d'écrire à mes maîtres de l'École de médecine qui m'avaient en grande estime. On embarque souvent sur ces bateaux-là des sujets médiocres. Des lettres très chaudes des professeurs Mas-Roussel, Rémusot, Flache et Borriquel [1] enlèveraient la chose en une heure mieux que toutes les recommandations douteuses. Il suffirait de faire présenter ces lettres par ton ami M. Marchand au conseil d'administration.

Jean approuvait tout à fait :

---

1. Noms inventés mais Mas-Roussel et Rémusot apparaissaient déjà dans le roman *Mont-Oriol.* Maupassant recycle, en quelque sorte.

— Ton idée est excellente, excellente !

Et il souriait, rassuré, presque content, sûr du succès, étant incapable de s'affliger longtemps.

— Tu vas leur écrire aujourd'hui même, dit-il.

— Tout à l'heure, tout de suite. J'y vais. Je ne prendrai pas de café ce matin, je suis trop nerveux.

Il se leva et sortit.

Alors Jean se tourna vers sa mère :

— Toi, maman, qu'est-ce que tu fais ?

— Rien... je ne sais pas.

— Veux-tu venir avec moi jusque chez Mme Rosémilly ?

— Mais... oui... oui...

— Tu sais... il est indispensable que j'y aille aujourd'hui.

— Oui... oui... C'est vrai.

— Pourquoi ça, indispensable ? — demanda Roland, habitué d'ailleurs à ne jamais comprendre ce qu'on disait devant lui.

— Parce que je lui ai promis d'y aller.

— Ah ! très bien. C'est différent, alors.

Et il se mit à bourrer sa pipe, tandis que la mère et le fils montaient l'escalier pour prendre leurs chapeaux.

Quand ils furent dans la rue, Jean lui demanda :

— Veux-tu mon bras, maman ?

Il ne le lui offrait jamais, car ils avaient l'habitude de marcher côte à côte. Elle accepta et s'appuya sur lui.

Ils ne parlèrent point pendant quelque temps, puis il lui dit :

— Tu vois que Pierre consent parfaitement à s'en aller.

Elle murmura :

— Le pauvre garçon !

— Pourquoi ça, le pauvre garçon ? Il ne sera pas malheureux du tout sur la *Lorraine*.

— Non... je sais bien, mais je pense à tant de choses.

Longtemps elle songea, la tête baissée, marchant du même

pas que son fils, puis avec cette voix bizarre qu'on prend par moments pour conclure une longue et secrète pensée :

— C'est vilain, la vie ! Si on y trouve une fois un peu de douceur, on est coupable de s'y abandonner et on le paye bien cher plus tard.

Il dit, très bas :

— Ne parle plus de ça, maman.

— Est-ce possible ? j'y pense tout le temps.

— Tu oublieras.

Elle se tut encore, puis, avec un regret profond :

— Ah ! comme j'aurais pu être heureuse en épousant un autre homme !

À présent, elle s'exaspérait contre Roland, rejetant sur sa laideur, sur sa bêtise, sur sa gaucherie, sur la pesanteur de son esprit et l'aspect commun de sa personne toute la responsabilité de sa faute et de son malheur. C'était à cela, à la vulgarité de cet homme, qu'elle devait de l'avoir trompé, d'avoir désespéré un de ses fils et fait à l'autre la plus douloureuse confession dont pût saigner le cœur d'une mère.

Elle murmura : « C'est si affreux pour une jeune fille d'épouser un mari comme le mien. » Jean ne répondait pas. Il pensait à celui dont il avait cru jusqu'ici être le fils, et peut-être la notion confuse qu'il portait depuis longtemps de la médiocrité paternelle, l'ironie constante de son frère, l'indifférence dédaigneuse des autres et jusqu'au mépris de la bonne pour Roland avaient-ils préparé son âme à l'aveu terrible de sa mère. Il lui en coûtait moins d'être le fils d'un autre ; et après la grande secousse d'émotion de la veille, s'il n'avait pas eu le contre-coup de révolte, d'indignation et de colère redouté par Mme Roland, c'est que depuis bien longtemps il souffrait inconsciemment de se sentir l'enfant de ce lourdaud bonasse [1].

---

1. D'un caractère faible.

Ils étaient arrivés devant la maison de Mme Rosémilly.

Elle habitait, sur la route de Sainte-Adresse, le deuxième étage d'une grande construction qui lui appartenait. De ses fenêtres on découvrait toute la rade du Havre.

En apercevant Mme Roland qui entrait la première, au lieu de lui tendre les mains comme toujours, elle ouvrit les bras et l'embrassa, car elle devinait l'intention de sa démarche.

Le mobilier du salon, en velours frappé [1], était toujours recouvert de housses. Les murs, tapissés de papier à fleurs, portaient quatre gravures achetées par le premier mari, le capitaine. Elles représentaient des scènes maritimes et sentimentales. On voyait sur la première la femme d'un pêcheur agitant un mouchoir sur une côte, tandis que disparaît à l'horizon la voile qui emporte son homme. Sur la seconde, la même femme, à genoux sur la même côte, se tord les bras en regardant au loin, sous un ciel plein d'éclairs, sur une mer de vagues invraisemblables, la barque de l'époux qui va sombrer.

Les deux autres gravures représentaient des scènes analogues dans une classe supérieure de la société.

Une jeune femme blonde rêve, accoudée sur le bordage d'un grand paquebot qui s'en va. Elle regarde la côte déjà lointaine d'un œil mouillé de larmes et de regrets.

Qui a-t-elle laissé derrière elle ?

Puis, la même jeune femme assise près d'une fenêtre ouverte sur l'Océan est évanouie dans un fauteuil. Une lettre vient de tomber de ses genoux sur le tapis.

Il est donc mort, quel désespoir !

Les visiteurs, généralement, étaient émus et séduits par la tristesse banale de ces sujets transparents et poétiques. On comprenait tout de suite, sans explication et sans recherche, et on plaignait les pauvres femmes, bien qu'on

---

1. Sur lequel apparaissent des motifs en relief.

ne sût pas au juste la nature du chagrin de la plus distinguée. Mais ce doute même aidait à la rêverie. Elle avait dû perdre son fiancé! L'œil, dès l'entrée, était attiré invinciblement vers ces quatre sujets et retenu comme par une fascination. Il ne s'en écartait que pour y revenir toujours, et toujours contempler les quatre expressions des deux femmes qui se ressemblaient comme deux sœurs. Il se dégageait surtout du dessin net, bien fini, soigné, distingué à la façon d'une gravure de mode, ainsi que du cadre bien luisant, une sensation de propreté et de rectitude qu'accentuait encore le reste de l'ameublement.

Les sièges demeuraient rangés suivant un ordre invariable, les uns contre la muraille, les autres autour du guéridon. Les rideaux blancs, immaculés, avaient des plis si droits et si réguliers qu'on avait envie de les friper un peu ; et jamais un grain de poussière ne ternissait le globe où la pendule dorée, de style Empire, une mappemonde portée par Atlas agenouillé [1], semblait mûrir comme un melon d'appartement.

Les deux femmes en s'asseyant modifièrent un peu la place normale de leurs chaises.

— Vous n'êtes pas sortie aujourd'hui? demandait Mᵐᵉ Roland.

— Non. Je vous avoue que je suis un peu fatiguée.

Et elle rappela, comme pour en remercier Jean et sa mère, tout le plaisir qu'elle avait pris à cette excursion et à cette pêche.

— Vous savez, disait-elle, que j'ai mangé ce matin mes

---

1. Une mappemonde est une sphère représentant le globe terrestre et Atlas, personnage de la mythologie grecque, est un Titan révolté contre les dieux, condamné par Zeus à porter sur ses épaules le monde.

salicoques. Elles étaient délicieuses. Si vous voulez, nous recommencerons un jour ou l'autre cette partie-là...

Le jeune homme l'interrompit :

— Avant d'en commencer une seconde, si nous terminions la première ?

— Comment ça ? Mais il me semble qu'elle est finie.

— Oh ! Madame, j'ai fait, de mon côté, dans ce rocher de Saint-Jouin, une pêche que je veux aussi rapporter chez moi.

Elle prit un air naïf et malin :

— Vous ? Quoi donc ? Qu'est-ce que vous avez trouvé ?

— Une femme ! Et nous venons, maman et moi, vous demander si elle n'a pas changé d'avis ce matin.

Elle se mit à sourire :

— Non, Monsieur, je ne change jamais d'avis, moi.

Ce fut lui qui lui tendit alors sa main toute grande, où elle fit tomber la sienne d'un geste vif et résolu. Et il demanda :

— Le plus tôt possible, n'est-ce pas ?

— Quand vous voudrez.

— Six semaines ?

— Je n'ai pas d'opinion. Qu'en pense ma future belle-mère ?

Mme Roland répondit avec un sourire un peu mélancolique :

— Oh ! moi, je ne pense rien. Je vous remercie seulement d'avoir bien voulu Jean, car vous le rendrez très heureux.

— On fera ce qu'on pourra, maman.

Un peu attendrie, pour la première fois, Mme Rosémilly se leva et, prenant à pleins bras Mme Roland, l'embrassa longtemps comme un enfant ; et sous cette caresse nouvelle une émotion puissante gonfla le cœur malade de la pauvre femme. Elle n'aurait pu dire ce qu'elle éprouvait. C'était triste et doux en même temps. Elle avait perdu un fils, un grand fils, et on lui rendait à la place une fille, une grande fille.

Quand elles se retrouvèrent face à face, sur leurs sièges, elles se prirent les mains et restèrent ainsi, se regardant et se souriant, tandis que Jean semblait presque oublié d'elles.

Puis elles parlèrent d'un tas de choses auxquelles il fallait songer pour ce prochain mariage, et quand tout fut décidé, réglé, Mme Rosémilly parut soudain se souvenir d'un détail et demanda :

— Vous avez consulté M. Roland, n'est-ce pas ?

La même rougeur couvrit soudain les joues de la mère et du fils. Ce fut la mère qui répondit :

— Oh ! non, c'est inutile !

Puis elle hésita, sentant qu'une explication était nécessaire, et elle reprit :

— Nous faisons tout sans lui rien dire. Il suffit de lui annoncer ce que nous avons décidé.

Mme Rosémilly, nullement surprise, souriait, jugeant cela bien naturel, car le bonhomme comptait si peu.

Quand Mme Roland se retrouva dans la rue avec son fils :

— Si nous allions chez toi, dit-elle. Je voudrais bien me reposer.

Elle se sentait sans abri, sans refuge, ayant l'épouvante de sa maison.

Ils entrèrent chez Jean.

Dès qu'elle sentit la porte fermée derrière elle, elle poussa un gros soupir comme si cette serrure l'avait mise en sûreté ; puis, au lieu de se reposer, comme elle l'avait dit, elle commença à ouvrir les armoires, à vérifier les piles de linge, le nombre des mouchoirs et des chaussettes. Elle changeait l'ordre établi pour chercher des arrangements plus harmonieux, qui plaisaient davantage à son œil de ménagère ; et quand elle eut disposé les choses à son gré, aligné les serviettes, les caleçons et les chemises sur leurs tablettes spéciales, divisé tout le linge en trois classes principales, linge de corps, linge de maison et linge de table, elle se recula pour contempler son œuvre, et elle dit :

— Jean, viens donc voir comme c'est joli.

Il se leva et admira pour lui faire plaisir.

Soudain, comme il s'était rassis, elle s'approcha de son fauteuil à pas légers, par derrière, et, lui enlaçant le cou de son bras droit, elle l'embrassa en posant sur la cheminée un petit objet enveloppé dans un papier blanc, qu'elle tenait de l'autre main.

Il demanda :

— Qu'est-ce que c'est ?

Comme elle ne répondait pas, il comprit, en reconnaissant la forme du cadre :

— Donne ! dit-il.

Mais elle feignit de ne pas entendre, et retourna vers ses armoires. Il se leva, prit vivement cette relique douloureuse et, traversant l'appartement, alla l'enfermer à double tour, dans le tiroir de son bureau. Alors elle essuya du bout de ses doigts une larme au bord de ses yeux, puis elle dit, d'une voix un peu chevrotante :

— Maintenant, je vais voir si ta nouvelle bonne tient bien ta cuisine. Comme elle est sortie en ce moment, je pourrai tout inspecter pour me rendre compte.

9

Les lettres de recommandation des professeurs Mas-Roussel, Rémusot, Flache et Borriquel, écrites dans les termes les plus flatteurs pour le Dr Pierre Roland, leur élève, avaient été soumises par M. Marchand au conseil de la Compagnie transatlantique, appuyées par MM. Poulin, juge au tribunal de commerce, Lenient, gros armateur, et Marival, adjoint au maire du Havre, ami particulier du capitaine Beausire.

Il se trouvait que le médecin de la *Lorraine* n'était pas encore désigné, et Pierre eut la chance d'être nommé en quelques jours.

Le pli qui l'en prévenait lui fut remis par la bonne Joséphine, un matin, comme il finissait sa toilette.

Sa première émotion fut celle du condamné à mort à qui on annonce sa peine commuée[1] ; et il sentit immédiatement sa souffrance adoucie un peu par la pensée de ce départ et de cette vie calme, toujours bercée par l'eau qui roule, toujours errante, toujours fuyante.

Il vivait maintenant dans la maison paternelle en étranger muet et réservé. Depuis le soir où il avait laissé s'échapper devant son frère l'infâme secret découvert par lui, il sentait

---

1. Changée en une peine moins sévère.

qu'il avait brisé les dernières attaches avec les siens. Un remords le harcelait d'avoir dit cette chose à Jean. Il se jugeait odieux, malpropre, méchant, et cependant il était soulagé d'avoir parlé.

Jamais il ne rencontrait plus le regard de sa mère ou le regard de son frère. Leurs yeux pour s'éviter avaient pris une mobilité surprenante et des ruses d'ennemis qui redoutent de se croiser. Toujours il se demandait : « Qu'a-t-elle pu dire à Jean ? A-t-elle avoué ou a-t-elle nié ? Que croit mon frère ? Que pense-t-il d'elle, que pense-t-il de moi ? » Il ne devinait pas et s'en exaspérait. Il ne leur parlait presque plus d'ailleurs, sauf devant Roland afin d'éviter ses questions.

Quand il eut reçu la lettre lui annonçant sa nomination, il la présenta, le jour même, à sa famille. Son père, qui avait une grande tendance à se réjouir de tout, battit des mains. Jean répondit d'un ton sérieux, mais l'âme pleine de joie :

— Je te félicite de tout mon cœur, car je sais qu'il y avait beaucoup de concurrents. Tu dois cela certainement aux lettres de tes professeurs.

Et sa mère baissa la tête en murmurant :

— Je suis bien heureuse que tu aies réussi.

Il alla, après le déjeuner, aux bureaux de la Compagnie, afin de se renseigner sur mille choses ; et il demanda le nom du médecin de la *Picardie* qui devait partir le lendemain, pour s'informer près de lui de tous les détails de sa vie nouvelle et des particularités qu'il y devait rencontrer.

Le Dr Pirette étant à bord, il s'y rendit, et il fut reçu dans une petite chambre de paquebot par un jeune homme à barbe blonde qui ressemblait à son frère. Ils causèrent longtemps.

On entendait dans les profondeurs sonores de l'immense bâtiment une grande agitation confuse et continue, où la chute des marchandises entassées dans les cales se mêlait aux pas, aux voix, au mouvement des machines chargeant les caisses, aux sifflets des contremaîtres et à la rumeur des chaînes traînées ou enroulées sur les treuils par l'haleine rauque de la vapeur qui faisait vibrer un peu le corps entier du gros navire.

Mais lorsque Pierre eut quitté son collègue et se retrouva dans la rue, une tristesse nouvelle s'abattit sur lui, et l'enveloppa comme ces brumes qui courent sur la mer, venues du bout du monde et qui portent dans leur épaisseur insaisissable quelque chose de mystérieux et d'impur comme le souffle pestilentiel de terres malfaisantes et lointaines.

En ses heures de plus grande souffrance il ne s'était jamais senti plongé ainsi dans un cloaque[1] de misère. C'est que la dernière déchirure était faite ; il ne tenait plus à rien. En arrachant de son cœur les racines de toutes ses tendresses, il n'avait pas éprouvé encore cette détresse de chien perdu qui venait soudain de le saisir.

Ce n'était pas une douleur morale et torturante, mais l'affolement d'une bête sans abri, une angoisse matérielle d'être errant qui n'a plus de toit et que la pluie, le vent, l'orage, toutes les forces brutales du monde vont assaillir. En mettant le pied sur ce paquebot, en entrant dans cette chambrette balancée sur les vagues, la chair de l'homme qui a toujours dormi dans un lit immobile et tranquille s'était révoltée contre l'insécurité de tous les lendemains futurs. Jusqu'alors elle s'était sentie protégée, cette chair, par le mur solide enfoncé dans la terre qui le tient, et par la certitude du repos à la même place, sous le toit qui résiste au vent. Maintenant, tout ce qu'on aime braver dans la chaleur du logis fermé deviendrait un danger et une constante souffrance.

Plus de sol sous les pas, mais la mer qui roule, qui gronde et engloutit. Plus d'espace autour de soi, pour se prome-

___
1. Lieu très sale.

ner, courir, se perdre par les chemins, mais quelques mètres de planches pour marcher comme un condamné au milieu d'autres prisonniers. Plus d'arbres, de jardins, de rues, de maisons, rien que de l'eau et des nuages. Et sans cesse il sentirait remuer ce navire sous ses pieds. Les jours d'orage il faudrait s'appuyer aux cloisons, s'accrocher aux portes, se cramponner aux bords de la couchette étroite pour ne point rouler par terre. Les jours de calme il entendrait la trépidation ronflante de l'hélice et sentirait fuir ce bateau qui le porte, d'une fuite continue, régulière, exaspérante.

Et il se trouvait condamné à cette vie de forçat vagabond, uniquement parce que sa mère s'était livrée aux caresses d'un homme.

Il allait devant lui, défaillant à présent sous la mélancolie désolée des gens qui vont s'expatrier.

Il ne se sentait plus au cœur ce mépris hautain, cette haine dédaigneuse pour les inconnus qui passent, mais une triste envie de leur parler, de leur dire qu'il allait quitter la France, d'être écouté et consolé. C'était, au fond de lui, un besoin honteux de pauvre qui va tendre la main, un besoin timide et fort de sentir quelqu'un souffrir de son départ.

Il songea à Marowsko. Seul le vieux Polonais l'aimait assez pour ressentir une vraie et poignante émotion ; et le docteur se décida tout de suite à l'aller voir.

Quand il entra dans la boutique, le pharmacien, qui pilait des poudres au fond d'un mortier[1] de marbre, eut un petit tressaillement et quitta sa besogne :

— On ne vous aperçoit plus jamais ? dit-il.

Le jeune homme expliqua qu'il avait eu à entreprendre des démarches nombreuses, sans en dévoiler le motif, et il s'assit en demandant :

— Eh bien ! les affaires vont-elles ?

---

1. Récipient.

Elles n'allaient pas, les affaires. La concurrence était terrible, le malade rare et pauvre dans ce quartier travailleur. On n'y pouvait vendre que des médicaments à bon marché ; et les médecins n'y ordonnaient point ces remèdes rares et compliqués sur lesquels on gagne cinq cents pour cent. Le bonhomme conclut :

— Si ça dure encore trois mois comme ça, il faudra fermer boutique. Si je ne comptais pas sur vous, mon bon docteur, je me serais déjà mis à cirer des bottes.

Pierre sentit son cœur se serrer, et il se décida brusquement à porter le coup, puisqu'il le fallait :

— Oh ! moi… moi… je ne pourrai plus vous être d'aucun secours. Je quitte le Havre au commencement du mois prochain.

Marowsko ôta ses lunettes, tant son émotion fut vive.

— Vous… vous… qu'est-ce que vous dites là ?

— Je dis que je m'en vais, mon pauvre ami.

Le vieux demeurait atterré, sentant crouler son dernier espoir, et il se révolta soudain contre cet homme qu'il avait suivi, qu'il aimait, en qui il avait eu tant de confiance, et qui l'abandonnait ainsi.

Il bredouilla :

— Mais vous n'allez pas me trahir à votre tour, vous ?

Pierre se sentait tellement attendri qu'il avait envie de l'embrasser :

— Mais je ne vous trahis pas. Je n'ai point trouvé à me caser ici et je pars comme médecin sur un paquebot transatlantique.

— Oh ! monsieur Pierre ! Vous m'aviez si bien promis de m'aider à vivre !

— Que voulez-vous ! Il faut que je vive moi-même. Je n'ai pas un sou de fortune.

Marowsko répétait :

— C'est mal, c'est mal, ce que vous faites. Je n'ai plus

qu'à mourir de faim, moi. À mon âge, c'est fini. C'est mal. Vous abandonnez un pauvre vieux qui est venu pour vous suivre. C'est mal.

Pierre voulait s'expliquer, protester, donner ses raisons, prouver qu'il n'avait pu faire autrement ; le Polonais n'écoutait point, révolté de cette désertion, et il finit par dire, faisant allusion sans doute à des événements politiques :

— Vous autres Français, vous ne tenez pas vos promesses [1].

Alors Pierre se leva, froissé à son tour, et le prenant d'un peu haut :

— Vous êtes injuste, père Marowsko. Pour se décider à ce que j'ai fait, il faut de puissants motifs ; et vous devriez le comprendre. Au revoir. J'espère que je vous retrouverai plus raisonnable.

Et il sortit.

— Allons, pensait-il, personne n'aura pour moi un regret sincère.

Sa pensée cherchait, allant à tous ceux qu'il connaissait, ou qu'il avait connus, et elle retrouva, au milieu de tous les visages défilant dans son souvenir, celui de la fille de brasserie qui lui avait fait soupçonner sa mère.

Il hésita, gardant contre elle une rancune instinctive, puis soudain, se décidant, il pensa : « Elle avait raison, après tout. » Et il s'orienta pour retrouver sa rue.

La brasserie était, par hasard, remplie de monde et remplie aussi de fumée. Les consommateurs, bourgeois et ouvriers, car c'était un jour de fête, appelaient, riaient, criaient, et le patron lui-même servait, courant de table en table, emportant des bocks vides et les rapportant pleins de mousse.

---

1. En 1830, les Français n'avaient pas prêté main-forte aux Polonais soulevés contre les Russes, malgré de vagues promesses.

Quand Pierre eut trouvé une place, non loin du comptoir, il attendit, espérant que la bonne le verrait et le reconnaîtrait.

Mais elle passait et repassait devant lui, sans un coup d'œil, trottant menu sous ses jupes avec un petit dandinement gentil.

Il finit par frapper la table d'une pièce d'argent. Elle accourut.

— Que désirez-vous, Monsieur ?

Elle ne le regardait pas, l'esprit perdu dans le calcul des consommations servies.

— Eh bien ! fit-il, c'est comme ça qu'on dit bonjour à ses amis ?

Elle fixa ses yeux sur lui, et d'une voix pressée :

— Ah ! c'est vous. Vous allez bien. Mais je n'ai pas le temps aujourd'hui. C'est un bock que vous voulez ?

— Oui, un bock.

Quand elle l'apporta, il reprit :

— Je viens te faire mes adieux. Je pars.

Elle répondit avec indifférence :

— Ah bah ! Où allez-vous ?

— En Amérique.

— On dit que c'est un beau pays.

Et rien de plus. Vraiment il fallait être bien malavisé pour lui parler ce jour-là. Il y avait trop de monde au café !

Et Pierre s'en alla vers la mer. En arrivant sur la jetée, il vit la *Perle* qui rentrait portant son père et le capitaine Beausire. Le matelot Papagris ramait ; et les deux hommes, assis à l'arrière, fumaient leur pipe avec un air de parfait bonheur. Le docteur songea en les voyant passer : « Bienheureux les simples d'esprit. »

Et il s'assit sur un des bancs du brise-lames pour tâcher de s'engourdir dans une somnolence de brute.

Quand il rentra, le soir, à la maison, sa mère lui dit, sans oser lever les yeux sur lui :

— Il va te falloir un tas d'affaires pour partir, et je suis un peu embarrassée. Je t'ai commandé tantôt ton linge de corps et j'ai passé chez le tailleur pour les habits ; mais n'as-tu besoin de rien autre, de choses que je ne connais pas, peut-être ?

Il ouvrit la bouche pour dire : «Non, de rien.» Mais il songea qu'il lui fallait au moins accepter de quoi se vêtir décemment, et ce fut d'un ton très calme qu'il répondit :

— Je ne sais pas encore, moi ; je m'informerai à la Compagnie.

Il s'informa, et on lui remit la liste des objets indispensables. Sa mère, en la recevant de ses mains, le regarda pour la première fois depuis bien longtemps, et elle avait au fond des yeux l'expression si humble, si douce, si triste, si suppliante des pauvres chiens battus qui demandent grâce.

Le 1er octobre, la *Lorraine*, venant de Saint-Nazaire, entra au port du Havre, pour en repartir le 7 du même mois à destination de New-York ; et Pierre Roland dut prendre possession de la petite cabine flottante où serait désormais emprisonnée sa vie.

Le lendemain, comme il sortait, il rencontra dans l'escalier sa mère qui l'attendait et qui murmura d'une voix à peine intelligible :

— Tu ne veux pas que je t'aide à t'installer sur ce bateau ?

— Non, merci, tout est fini.

Elle murmura :

— Je désire tant voir ta chambrette.

— Ce n'est pas la peine. C'est très laid et très petit.

Il passa, la laissant atterrée, appuyée au mur, et la face blême.

Or Roland, qui visita la *Lorraine* ce jour-là même, ne parla pendant le dîner que de ce magnifique navire et s'étonna beaucoup que sa femme n'eût aucune envie de le connaître puisque leur fils allait s'embarquer dessus.

Pierre ne vécut guère dans sa famille pendant les jours qui suivirent. Il était nerveux, irritable, dur, et sa parole brutale semblait fouetter tout le monde. Mais la veille de son départ il parut soudain très changé, très adouci. Il demanda, au moment d'embrasser ses parents avant d'aller coucher à bord pour la première fois :

— Vous viendrez me dire adieu, demain sur le bateau?

Roland s'écria :

— Mais oui, mais oui, parbleu. N'est-ce pas, Louise?

— Mais certainement, dit-elle tout bas.

Pierre reprit :

— Nous partons à onze heures juste. Il faut être là-bas à neuf heures et demie au plus tard.

— Tiens! s'écria son père, une idée. En te quittant nous courrons bien vite nous embarquer sur la *Perle* afin de t'attendre hors des jetées et de te voir encore une fois. N'est-ce pas, Louise?

— Oui, certainement.

Roland reprit :

— De cette façon, tu ne nous confondras pas avec la foule qui encombre le môle quand partent les transatlantiques. On ne peut jamais reconnaître les siens dans le tas. Ça te va?

— Mais oui, ça me va. C'est entendu.

Une heure plus tard il était étendu dans son petit lit marin, étroit et long comme un cercueil. Il y resta longtemps, les yeux ouverts, songeant à tout ce qui s'était passé depuis deux mois dans sa vie, et surtout dans son âme. À force d'avoir souffert et fait souffrir les autres, sa douleur agressive et vengeresse s'était fatiguée, comme une lame émoussée. Il n'avait presque plus le courage d'en vouloir à

quelqu'un et de quoi que ce fût, et il laissait aller sa révolte
à vau-l'eau[1] à la façon de son existence. Il se sentait tellement las de lutter, las de frapper, las de détester, las de
tout, qu'il n'en pouvait plus et tâchait d'engourdir son cœur
dans l'oubli, comme on tombe dans le sommeil. Il entendait
vaguement autour de lui les bruits nouveaux du navire,
bruits légers, à peine perceptibles en cette nuit calme du
port ; et de sa blessure jusque-là si cruelle il ne sentait plus
aussi que les tiraillements douloureux des plaies qui se cica-
trisent.

Il avait dormi profondément quand le mouvement des
matelots le tira de son repos. Il faisait jour, le train de
marée[2] arrivait au quai amenant les voyageurs de Paris.

Alors il erra sur le navire au milieu de ces gens affairés,
inquiets, cherchant leurs cabines, s'appelant, se question-
nant et se répondant au hasard, dans l'effarement du voyage
commencé. Après qu'il eut salué le capitaine et serré la main
de son compagnon le commissaire du bord, il entra dans le
salon où quelques Anglais sommeillaient déjà dans les coins.
La grande pièce aux murs de marbre blanc encadrés de filets
d'or prolongeait indéfiniment dans les glaces la perspective
de ses longues tables flanquées de deux lignes illimitées de
sièges tournants, en velours grenat. C'était bien là le vaste
hall flottant et cosmopolite où devaient manger en commun
les gens riches de tous les continents. Son luxe opulent était
celui des grands hôtels, des théâtres, des lieux publics, le
luxe imposant et banal qui satisfait l'œil des millionnaires.
Le docteur allait passer dans la partie du navire réservée à
la seconde classe, quand il se souvint qu'on avait embarqué
la veille au soir un grand troupeau d'émigrants, et il descendit dans l'entrepont. En y pénétrant, il fut saisi par une

---

1. À la dérive. C'est le titre d'un roman de Huysmans (1882).
2. Train qui livrait le fruit de la pêche.

odeur nauséabonde d'humanité pauvre et malpropre, puanteur de chair nue plus écœurante que celle du poil ou de la laine des bêtes. Alors, dans une sorte de souterrain obscur et bas, pareil aux galeries des mines, Pierre aperçut des centaines d'hommes, de femmes et d'enfants étendus sur des planches superposées ou grouillant par tas sur le sol. Il ne distinguait point les visages, mais voyait vaguement cette foule sordide en haillons, cette foule de misérables vaincus par la vie, épuisés, écrasés, partant avec une femme maigre et des enfants exténués pour une terre inconnue, où ils espéraient ne point mourir de faim, peut-être.

Et songeant au travail passé, au travail perdu, aux efforts stériles, à la lutte acharnée, reprise chaque jour en vain, à l'énergie dépensée par ces gueux, qui allaient recommencer encore, sans savoir où, cette existence d'abominable misère, le docteur eut envie de leur crier : « Mais foutez-vous donc à l'eau avec vos femelles et vos petits ! » Et son cœur fut tellement étreint par la pitié qu'il s'en alla, ne pouvant supporter leur vue.

Son père, sa mère, son frère et Mme Rosémilly l'attendaient déjà dans sa cabine.

— Si tôt, dit-il.

— Oui, répondit Mme Roland d'une voix tremblante, nous voulions avoir le temps de te voir un peu.

Il la regarda. Elle était en noir, comme si elle eût porté un deuil, et il s'aperçut brusquement que ses cheveux, encore gris le mois dernier, devenaient tout blancs à présent.

Il eut grand-peine à faire asseoir les quatre personnes dans sa petite demeure, et il sauta sur son lit. Par la porte restée ouverte on voyait passer une foule nombreuse comme celle d'une rue un jour de fête, car tous les amis des embarqués et une armée de simples curieux avaient envahi l'immense paquebot. On se promenait dans les couloirs, dans les salons, partout, et des têtes s'avançaient jusque dans la chambre tandis que des voix murmuraient au dehors : «C'est l'appartement du docteur.»

Alors Pierre poussa la porte ; mais dès qu'il se sentit enfermé avec les siens, il eut envie de la rouvrir, car l'agitation du navire trompait leur gêne et leur silence.

Mme Rosémilly voulut enfin parler :

— Il vient bien peu d'air par ces petites fenêtres, dit-elle.

— C'est un hublot, répondit Pierre.

Il en montra l'épaisseur qui rendait le verre capable de résister aux chocs les plus violents, puis il expliqua longuement le système de fermeture. Roland à son tour demanda :

— Tu as ici même la pharmacie ?

Le docteur ouvrit une armoire et fit voir une bibliothèque de fioles qui portaient des noms latins sur des carrés de papier blanc.

Il en prit une pour énumérer les propriétés de la matière qu'elle contenait, puis une seconde, puis une troisième, et il fit un vrai cours de thérapeutique qu'on semblait écouter avec grande attention.

Roland répétait en remuant la tête :

— Est-ce intéressant, cela !

On frappa doucement contre la porte.

— Entrez ! cria Pierre.

Et le capitaine Beausire parut.

Il dit, en tendant la main :

— Je viens tard parce que je n'ai pas voulu gêner vos épanchements[1].

Il dut aussi s'asseoir sur le lit. Et le silence recommença.

Mais, tout à coup, le capitaine prêta l'oreille. Des commandements lui parvenaient à travers la cloison, et il annonça :

---

1. Discussions intimes.

— Il est temps de nous en aller si nous voulons embarquer dans la *Perle* pour vous voir encore à la sortie, et vous dire adieu en pleine mer.

Roland père y tenait beaucoup, afin d'impressionner les voyageurs de la *Lorraine* sans doute, et il se leva avec empressement :

— Allons, adieu, mon garçon.

Il embrassa Pierre sur ses favoris, puis rouvrit la porte.

Mme Roland ne bougeait point et demeurait les yeux baissés, très pâle.

Son mari lui toucha le bras :

— Allons, dépêchons-nous, nous n'avons pas une minute à perdre.

Elle se dressa, fit un pas vers son fils et lui tendit, l'une après l'autre, deux joues de cire blanche, qu'il baisa sans dire un mot. Puis il serra la main de Mme Rosémilly, et celle de son frère en lui demandant :

— À quand ton mariage ?

— Je ne sais pas encore au juste. Nous le ferons coïncider avec un de tes voyages.

Tout le monde enfin sortit de la chambre et remonta sur le pont encombré de public, de porteurs de paquets et de marins.

La vapeur ronflait dans le ventre énorme du navire qui semblait frémir d'impatience.

— Adieu, dit Roland toujours pressé.

— Adieu, répondit Pierre debout au bord d'un des petits ponts de bois qui faisaient communiquer la *Lorraine* avec le quai.

Il serra de nouveau toutes les mains et sa famille s'éloigna.

— Vite, vite, en voiture ! criait le père.

Un fiacre les attendait qui les conduisit à l'avant-port où Papagris tenait la *Perle* toute prête à prendre le large.

Il n'y avait aucun souffle d'air ; c'était un de ces jours secs et calmes d'automne, où la mer polie semble froide et dure comme de l'acier.

Jean saisit un aviron, le matelot borda l'autre et ils se mirent à ramer. Sur le brise-lames, sur les jetées, jusque sur les parapets de granit, une foule innombrable, remuante et bruyante, attendait la *Lorraine*.

La *Perle* passa entre ces deux vagues humaines et fut bientôt hors du môle.

Le capitaine Beausire, assis entre les deux femmes, tenait la barre et il disait :

— Vous allez voir que nous nous trouverons juste sur sa route, mais là, juste.

Et les deux rameurs tiraient de toute leur force pour aller le plus loin possible. Tout à coup Roland s'écria :

— La voilà. J'aperçois sa mâture et ses deux cheminées. Elle sort du bassin.

— Hardi ! les enfants, répétait Beausire.

Mme Roland prit son mouchoir dans sa poche et le posa sur ses yeux.

Roland était debout, cramponné au mât ; il annonçait :

— En ce moment elle évolue dans l'avant-port... Elle ne bouge plus... Elle se remet en mouvement... Elle a dû prendre son remorqueur... Elle marche... bravo !... Elle s'engage dans les jetées !... Entendez-vous la foule qui crie... bravo !... C'est le *Neptune* qui la tire... je vois son avant maintenant... la voilà, la voilà... Nom de Dieu, quel bateau ! Nom de Dieu ! regardez donc !...

Mme Rosémilly et Beausire se retournèrent ; les deux hommes cessèrent de ramer ; seule Mme Roland ne remua point.

L'immense paquebot, traîné par un puissant remorqueur qui avait l'air, devant lui, d'une chenille, sortait lentement et royalement du port. Et le peuple havrais massé sur les môles, sur la plage, aux fenêtres, emporté soudain par un élan patriotique se mit à crier :

« Vive la *Lorraine* ! » acclamant et applaudissant ce départ magnifique, cet enfantement d'une grande ville maritime qui donnait à la mer sa plus belle fille.

Mais elle, dès qu'elle eut franchi l'étroit passage enfermé entre deux murs de granit, se sentant libre enfin, abandonna son remorqueur, et elle partit toute seule comme un énorme monstre courant sur l'eau.

— La voilà… la voilà… ! criait toujours Roland. Elle vient droit sur nous.

Et Beausire, radieux, répétait :

— Qu'est-ce que je vous avais promis, hein ? Est-ce que je connais leur route ?

Jean, tout bas, dit à sa mère :

— Regarde, maman, elle approche.

Et Mme Roland découvrit ses yeux aveuglés par les larmes.

La *Lorraine* arrivait, lancée à toute vitesse dès sa sortie du port, par ce beau temps clair, calme. Beausire, la lunette braquée, annonça :

— Attention ! M. Pierre est à l'arrière, tout seul, bien en vue. Attention !

Haut comme une montagne et rapide comme un train, le navire, maintenant, passait presque à toucher la *Perle*.

Et Mme Roland éperdue, affolée, tendit les bras vers lui, et elle vit son fils, son fils Pierre, coiffé de sa casquette galonnée, qui lui jetait à deux mains des baisers d'adieu.

Mais il s'en allait, il fuyait, disparaissait, devenu déjà tout petit, effacé comme une tache imperceptible sur le gigantesque bâtiment. Elle s'efforçait de le reconnaître encore et ne le distinguait plus.

Jean lui avait pris la main :

— Tu as vu ? dit-il.

— Oui, j'ai vu. Comme il est bon !

Et on retourna vers la ville.

— Cristi! ça va vite, déclarait Roland avec une conviction enthousiaste.

Le paquebot, en effet, diminuait de seconde en seconde comme s'il eût fondu dans l'Océan. Mme Roland tournée vers lui le regardait s'enfoncer à l'horizon vers une terre inconnue, à l'autre bout du monde. Sur ce bateau que rien ne pouvait arrêter, sur ce bateau qu'elle n'apercevrait plus tout à l'heure, était son fils, son pauvre fils. Et il lui semblait que la moitié de son cœur s'en allait avec lui, il lui semblait aussi que sa vie était finie, il lui semblait encore qu'elle ne reverrait jamais plus son enfant.

— Pourquoi pleures-tu, demanda son mari, puisqu'il sera de retour avant un mois?

Elle balbutia :

— Je ne sais pas. Je pleure parce que j'ai mal.

Lorsqu'ils furent revenus à terre, Beausire les quitta tout de suite pour aller déjeuner chez un ami. Alors Jean partit en avant avec Mme Rosémilly, et Roland dit à sa femme :

— Il a une belle tournure, tout de même, notre Jean.

— Oui, répondit la mère.

Et comme elle avait l'âme trop troublée pour songer à ce qu'elle disait, elle ajouta :

— Je suis bien heureuse qu'il épouse Mme Rosémilly.

Le bonhomme fut stupéfait.

— Ah bah! Comment? Il va épouser Mme Rosémilly?

— Mais oui. Nous comptions te demander ton avis aujourd'hui même.

— Tiens! tiens! Y a-t-il longtemps qu'il est question de cette affaire-là?

— Oh! non. Depuis quelques jours seulement. Jean voulait être sûr d'être agréé par elle avant de te consulter.

Roland se frottait les mains :

— Très bien, très bien. C'est parfait. Moi je l'approuve absolument.

Comme ils allaient quitter le quai et prendre le boulevard François-Ier, sa femme se retourna encore une fois pour jeter un dernier regard sur la haute mer ; mais elle ne vit plus rien qu'une petite fumée grise, si lointaine, si légère qu'elle avait l'air d'un peu de brume.

Du tableau

au texte

Valérie Lagier

Du tableau au texte

La Jetée du Havre par mauvais temps
de Claude Monet

... beaucoup plus qu'un décor...

Dans *Pierre et Jean*, la mer est beaucoup plus qu'un décor, elle imprègne la vie de presque tous les personnages de l'intrigue. Le roman s'ouvre et s'achève en mer. Ainsi, c'est une partie de pêche familiale sur *La Perle*, le bateau du père Roland, qui permet dès l'entrée de faire connaissance avec les principaux acteurs, et de poser en rivaux les deux frères, Pierre et Jean, dans le regard de Mme Rosémilly. Cette dernière nous est présentée comme la jeune veuve d'un capitaine au long-cours. Quant au père Roland, ancien bijoutier parisien, c'est un «amour immodéré de la navigation et de la pêche» qui lui a fait abandonner la capitale pour se retirer au Havre, acheter une barque et devenir matelot amateur. Le port du Havre, avec son va-et-vient incessant «de paquebots, de bricks, de goélettes, de trois-mâts chargés de ramures emmêlées», avec sa brume, ses sirènes, ses cris de mouettes et ses lumières, apparaît en toile de fond de nombre de scènes, aspirant l'imaginaire des personnages vers ses immenses horizons et ses promesses d'évasion.

... un apaisement au tumulte intérieur...

Aussi bien refuge qu'échappatoire, la mer canalisée dans les bornes de la jetée apporte aux deux frères un apaisement au tumulte intérieur de leurs émotions, lors de l'annonce de la nouvelle qui va bouleverser leurs existences : l'héritage de Jean. «Mal à l'aise, alourdi, mécontent», Pierre déambule dans la ville à la recherche d'un «endroit qui lui plût, qui fût agréable à son état d'esprit». C'est sur la jetée que ses pas le portent car, nous dit Maupassant, «il avait choisi la solitude». Là, face aux éléments, le regard perdu dans l'immensité de la rade, il peut enfin laisser remonter à la surface ses émotions, sa jalousie et son envie, sa frustration et son dégoût. Puis le spectacle étourdissant d'ombres et de lumières, sombres silhouettes des bâtiments en partance et feux fixes ou clignotants des phares, l'étourdit et l'apaise. La magie d'une barque de pêche lui laisse entrevoir comme un refuge, une fuite : «Si on pouvait vivre là-dessus, comme on serait tranquille, peut-être !» Seul face à l'océan, il rencontre alors la solitude d'un autre être, venu chercher dans ce coin retiré du port un apaisement à ses tourments : son frère Jean. Mais la solitude ne peut se partager et si le spectacle grandiose du port ouvre l'âme de chacun, il n'a pas le pouvoir d'établir entre eux une communication sans détour. Le non-dit, le silence, l'incompréhension et la souffrance ne feront désormais que grandir entre les deux frères jusqu'à l'explosion finale. Mais lorsque la vérité, découverte par Pierre, éclatera à la face de son frère, il ne lui restera plus qu'à chercher refuge au loin, sur cette mer immense, emporté dans les entrailles d'un de ces énormes paquebots dont les silhouettes ne cessent de peupler l'horizon du Havre et de fasciner le regard de ses habitants. Mais ce qui, dans l'esprit de Pierre, n'était qu'un rêve vaporeux, un fantasme, une aspiration vers un ailleurs plein de magie et d'exotisme, devient, dès lors qu'il prend forme réelle, un abrupt cauchemar. À bord du navire, « étendu dans son petit lit de marin, étroit et long comme un cercueil », il attend un départ qui l'arrache aux siens, qui tranche les liens d'amour avec sa mère et son frère dont il ne se sent plus proche. La mer infinie l'absorbe et le retranche de la vie. Il devient sur l'horizon un petit point infime aux yeux de sa famille qui le voit peu à peu disparaître. Ainsi, il entre dans le paysage qu'il a si longtemps contemplé.

La plume de Maupassant, dès lors qu'elle s'attarde à décrire par petites touches l'atmosphère du port du Havre, se coule dans les visions « impressionnistes » de son ami Claude Monet, Havrais fasciné par le spectacle de la jetée fracassée par les vagues, noyée dans la brume et hérissée d'une forêt de mâts et de voilures.

... l'atmosphère humide, chargée de vent et d'embruns...

La Jetée du Havre par mauvais temps, peinte par Monet en 1867, s'accorde visuellement avec l'univers en demi-teinte du roman de Maupassant, émouvant et triste, nostalgique et cruel. La résonance entre les univers de Monet et de Maupassant n'est peut-être pas totalement fortuite. Lorsque l'écrivain entreprend l'écriture de *Pierre et Jean* en 1887, il connaît déjà le peintre depuis plusieurs années. En 1885, ils séjournent tous deux à Étretat, et se retrouvent fréquemment. Maupassant aime alors observer Monet lorsqu'il travaille face au motif. Il s'inspirera d'ailleurs de ses longues conversations avec son ami dans *Miss Harriet*, en créant le personnage d'un vieux peintre dont les courses à travers la campagne sont comme « des voyages de noces avec la terre ». C'est donc certainement avec dans les yeux les toiles de Monet qu'il imagine dans *Pierre et Jean* cette ville du Havre qui a vu grandir le peintre. Dans cette petite œuvre, peinte sur le vif, face à la mer déchaînée, Monet arrive à traduire l'atmosphère humide, chargée de vent et d'embruns, qui éclabousse les bourgeois sortis admirer ce furieux spectacle. Comme Pierre et Jean ce fameux soir, ces hommes viennent assouvir, avec le confort de ceux qui restent à quai, cet appel du large qui ouvre l'œil et l'imagination. Frêles silhouettes à peine esquissées, ces personnages sans identité, vus de dos, minuscules face à la puissance du navire ballotté par les éléments, sont comme les deux frères, perdus dans leur contemplation individuelle. Ils admirent sans partager leur enthousiasme ou leurs réflexions, à l'exception des deux hommes dans l'angle inférieur gauche qui se montrent mutuellement quelque chose. Mouvante et angoissante, la vision de ce navire entrant au port par gros temps, penché sous le coup des rafales, et des frêles voiliers sortis malgré les mauvaises conditions atmosphériques, a quelque chose de vivifiant pour ces bourgeois emmitouflés qui se donnent l'impression de participer à l'action sans en subir les désagréments. La jetée les expose au vent et à la pluie, mais les protège des vagues trop puissantes.

… L'art a quelques courageux soldats…

Dans une œuvre plus léchée et plus imposante par son format, intitulée *La Jetée du Havre* (1867-1868, collection particulière) et refusée par le jury du Salon en 1868, Monet montrera cette jetée noire d'une foule de badauds venus admirer un arc-en-ciel sur la mer démontée. On y voit des vagues puissantes venir lécher la jetée et rouler en cascade sur le rebord du mur, éclaboussant généreusement les promeneurs. La petite œuvre (50 sur 61 cm) que constitue *La Jetée du Havre par mauvais temps* est généralement considérée comme une étude faite sur le motif pour cette grande composition, dont le format (147 sur 226 cm) rendait difficile l'exécution en extérieur. Mais signée et datée ultérieurement par son auteur, elle était certainement considérée par le peintre comme une œuvre aboutie. En effet, en bas à droite, figure la mention : *à mon ami Lafont 1870 / Claude Monet.*

Cette dédicace et cette date ne doivent pas induire en erreur. Le tableau n'a pas été fait à l'origine pour Antoine Lafont, journaliste au *Temps* et ami de jeunesse de Monet : il lui a été offert par le peintre, témoin de son mariage avec Camille Doncieux en 1870. Ainsi, la date inscrite sur le tableau n'est en rien celle de son exécution. On situe généralement cette œuvre durant l'été 1867, date à laquelle Monet séjourne longuement chez sa tante au Havre, réduit à accepter l'hospitalité de sa famille car il ne peut plus subvenir à ses besoins matériels à Paris. Pour ne pas déplaire à celle-ci, qui commence juste à accepter sa carrière de peintre, il a laissé Camille, sa maîtresse, seule à Paris sur le point d'accoucher. Ce séjour, dicté par la nécessité, sera pourtant un temps d'intense activité créative. Monet met à profit ces quelques mois pour entreprendre une vingtaine de toiles ayant pour sujet le port du Havre, les rues et la plage de Sainte-Adresse, la terrasse de sa tante. Certaines toiles sont entièrement exécutées sur le motif, comme cette vue de la jetée. Pour ce faire, Monet est parfois contraint de supporter les rigueurs du climat sans broncher, restant de longues heures immobile, face à la lumière changeante dont il essaie de fixer la tonalité en touches rapides et sûres. Léon Billot, ayant surpris l'artiste au travail durant l'hiver 1866-1867, nous rapporte ce témoignage : « Il faisait un froid à fendre les cailloux. Nous apercevons une chaufferette, puis un chevalet, puis un monsieur emmailloté dans trois pale-tots, les mains gantées, la figure à moitié gelée : c'était M. Monet, étudiant un effet de neige. L'art a quelques courageux soldats. » S'il ne neige pas le jour où l'artiste saisit cette scène, le temps humide et venteux ne lui laisse guère plus de répit. On peut se demander, d'ailleurs, étant donné la lumière et les intempéries, si cette scène ne date pas de l'hiver suivant qui voit le retour de Monet sur les côtes normandes. Les tonalités noires, brunes, grises et bleues, qui baignent l'atmo-sphère, la lumière rasante qui caresse l'écume des vagues et perce l'horizon, traduisent une scène hiver-nale plus qu'estivale, même si l'été normand peut par-fois se noyer sous une pluie et une tristesse intenses.

… saisir la fugacité de l'instant…

Monet, avare de coups de pinceaux, pris lui-même dans le déchaînement des éléments, bâtit la scène de *La Jetée du Havre par mauvais temps* avec une grande écono-mie de moyens. La vue de biais, qui cadre la jetée selon une oblique dynamique, nous permet de plonger dans l'image avec un point de vue élevé. Au centre, le navire malmené par la tempête occupe tout l'espace. L'essen-tiel de ses caractéristiques, sa voilure et sa mâture, se lit à travers quelques coups de pinceaux, précis et synthé-tiques. La pluie et le vent, qui agitent l'air et les flots, ne se devinent qu'à quelques minces traces obliques dans l'étendue bleu-gris des nuages. L'humidité trans-pire du sol dallé de la jetée, par un effet d'absorption

dans la pierre des tonalités bleues et grises de la mer et
du ciel. Quelques larmes d'un blanc épais viennent souligner la crête de l'écume et l'infini de l'horizon. En
peu de couleurs et peu de traits, Monet réussit à nous
faire éprouver la sensation mouillée et glacée d'une fin
de journée face à l'océan, brouillant notre vue et nos
sens, sans jamais décrire ni détailler sa vision. Véritable
« impression » avant la lettre, puisque ce mot ne sera
inventé que quelques années plus tard, au moment de
l'exposition collective de 1874, cette œuvre montre le
talent déjà abouti d'un peintre qui a su saisir la fugacité
de l'instant dans les filets de sa peinture.

Pour traduire la vitesse, le mouvement, le dynamisme
de la scène, Monet n'hésite pas à multiplier les lignes
obliques opposées : obliques montantes des quais, dou-
blées d'une ligne dessinée par les têtes des badauds,
obliques descendantes des mâts du grand navire et du
petit voilier. Quelques appuis verticaux, personnages et
lampadaire, viennent stabiliser l'ensemble. Par ces arti-
fices, Monet tente de saisir l'affrontement des éléments
et des choses humaines et de nous faire sentir la vulné-
rabilité des hommes en mer par rapport à la sécurité
dont jouissent les promeneurs, qui ne sont en danger
qu'en imagination.

... l'accord absolu entre sensation et vision...

Entrant en résonance avec le spectacle qu'ils contem-
plent, les promeneurs le vivent en spectateurs avides,
vibrant au son des sirènes de détresse et des cris de
mouettes, sans jamais perdre l'équilibre. Ce besoin de
se noyer dans l'angoisse du port, avec ses drames et ses
bruits inquiétants, les soirs de gros temps, est vécu à plusieurs reprises par Pierre, dans le roman de Maupassant,

comme si la mer était un écho extérieur au drame intérieur vécu par le héros. Lorsque se fait jour en lui l'in-
acceptable idée que sa mère ait trompé son père et que
Maréchal soit le père de Jean, il retourne sur la jetée,
ce « lieu vaste et vide » : « En s'approchant du port, il
entendit vers la pleine mer une plainte lamentable et
sinistre, pareille au meuglement d'un taureau, mais
plus longue et plus puissante. C'était le cri d'une sirène,
le cri des navires perdus dans la brume. Un frisson
remua sa chair, crispa son cœur, tant il avait retenti dans
son âme et dans ses nerfs, ce cri de détresse, qu'il croyait
avoir jeté lui-même. » Écho de l'âme, miroir des sentiments, la mer est un gouffre et un refuge, elle est
comme la toile vierge qui s'offre au peintre. Elle se
peint aux couleurs de l'humeur de celui qui la
contemple.

Monet et Maupassant expriment chacun à leur manière cet étrange phénomène de résonance. Lorsque le
peintre place son chevalet face à l'océan et qu'il scrute
chaque rayon de lumière et chaque crête d'écume, il
plonge au plus profond de son âme et cherche en peinture la note harmonieuse, l'accord absolu entre sensation et vision. Quand Maupassant décrit les émotions de
son héros dès qu'il se trouve face à la mer, il fait avec
les mots le même travail d'introspection. Il cherche le
juste mot pour traduire le ressenti de son personnage,
son impression en même temps qu'il nous brosse
l'image enregistrée par son œil. Ce va-et-vient constant
du récit entre vision et émotion fait de *Pierre et Jean* un
véritable roman « impressionniste ».

Le texte

en perspective

Arnaud Rochelois

Mouvement littéraire

Entre réalisme et naturalisme

SA PÉRIODE DE création et ses fréquentations artistiques inscrivent Guy de Maupassant à la croisée de deux mouvements littéraires, le réalisme et le naturalisme. On le trouve souvent classé, dans les manuels d'histoire littéraire, parmi les écrivains naturalistes : il faut cependant signaler qu'il s'est toujours défendu d'appartenir à une école et qu'il ne s'est jamais senti lié par une doctrine. *Pierre et Jean* a été écrit en 1887 : or, dès 1880, il évoquait dans une lettre à Flaubert les « bêtises » de « l'école naturaliste », et il se déclarait méfiant face aux querelles partisanes que ne pouvait manquer de déclencher l'appartenance exclusive à un camp littéraire. C'est ce que rappelle la préface, intitulée *Le Roman,* qui revient sur les mouvements littéraires.

Néanmoins, certaines idées réalistes ou naturalistes l'ont indéniablement influencé. S'il faut donc se méfier des « étiquettes » trop rapidement appliquées à un auteur, il faut également maîtriser les définitions qu'elles recouvrent afin d'être capable d'apprécier les écarts — par rapport à des mouvements littéraires qui sont aussi le reflet d'une époque — d'un auteur qui se montre capable en même temps d'en user et de s'en affranchir. C'est de ces écarts que naît l'originalité de Maupassant et de *Pierre et Jean* : emprun-

tant à la fois au réalisme et au naturalisme, il a su se
créer sa propre voie.

1.

Le réalisme

1. *Définition d'un mouvement artistique*

À partir des années 1830, le roman évolue vers une
observation de plus en plus attentive de la réalité
contemporaine, en même temps que s'entrecroisent
progressivement de nombreuses tendances, surtout à
partir de la mort d'Honoré de Balzac (1799-1850) qui
devient, avec Stendhal (1783-1842), le modèle des nouvelles générations d'auteurs. C'est à ce moment, autour
de 1850, qu'apparaît le réalisme.

L'idée d'imiter la réalité (on retrouve ce mot derrière
celui de réaliste) n'est pas nouvelle en littérature, et le
Grec Aristote (384-322 av. J.-C.) parlait déjà au IVe siècle
avant J.-C. d'imiter la nature (c'est ce qu'il appelle la
mimésis). Une telle tradition d'imitation s'oppose à
l'idéalisme, qui laisse place aux sentiments et se déta-
che du réel, ce qui correspond davantage à la vision
romantique.

Un mouvement artistique va donc reprendre à son
compte cette idée au milieu du XIXe siècle. Une majus-
cule au mot « réalisme » distingue parfois ce mouvement des années 1850-1870, au sens strict, de tout « lien
au réel », même si le rapport entre les deux est évident.
On parle de mouvement « artistique » et pas seulement
littéraire parce que cette façon de concevoir l'œuvre
dans un rapport nouveau avec le réel s'applique
d'abord, à cette époque, à la peinture. L'adjectif « réa-

liste » vient en effet indirectement du peintre Gustave Courbet (1819-1877) : ses adversaires ont appliqué le terme à ses tableaux, et notamment à *L'Après-dînée à Ornans* (exposé en 1849). Ce tableau, qui représente des hommes autour d'une table dans une salle de ferme, fit scandale pour la simple raison qu'il se contentait de représenter un moment de vie quotidienne sous des dimensions habituellement réservées à la « grande » peinture religieuse ou historique. Courbet récidiva avec *L'Enterrement à Ornans*, toile d'un aussi grand format figurant une foule paysanne autour d'une tombe, et où les assistants du curé se distinguaient surtout par leurs nez rouges. Ce « réalisme » fut jugé provocateur. Mais, à partir de là, un groupe d'artistes se forma, s'emparant du terme pour en faire un signe distinctif.

C'est un proche de Courbet, Jules Champfleury, qui devint le premier représentant du réalisme en littérature en tentant de donner au mouvement une doctrine, avec le concours notamment du romancier et critique Louis Duranty. Son but était de lutter contre la littérature romantique qui pratiquait l'enflure des sentiments et l'idéalisation de la description.

Le réalisme exprime donc la volonté de certains artistes de montrer la réalité sans l'embellir (notamment à partir de l'invention de la photographie, qui laisse penser que l'on peut donner une image exacte du réel) : c'est en ce sens que Maupassant emploie ce mot dans la préface de *Pierre et Jean*. Ces préoccupations amènent les réalistes à s'intéresser — avec pour objectif premier l'objectivité — à des personnages médiocres, qui n'étaient jusqu'alors pas considérés comme sujets esthétiques.

2. *Les écrivains réalistes : un ensemble hétérogène*

Un mouvement littéraire laisse une trace dans l'histoire à partir du moment où l'un de ses auteurs produit une œuvre marquante. Or on se trouve ici devant un paradoxe. En effet, l'écrivain que l'on retient comme représentant du réalisme est Gustave Flaubert, alors que celui-ci n'a jamais prétendu faire partie d'une école de pensée. Si ses premières œuvres sont bien plus proches du romantisme, *Madame Bovary* et *L'Éducation sentimentale* montrent cependant une nette évolution de son écriture. Le premier ouvrage est d'ailleurs condamné en 1857 (la même année que *Les Fleurs du Mal* de Baudelaire) pour son « réalisme grossier et offensant pour la pudeur ». Contre le gré de Flaubert, qui prétend avoir fait un « livre sur rien », *Madame Bovary* devient une œuvre qui illustre les préceptes réalistes : c'est le récit d'une vie qui se défait, celle d'Emma Bovary, allant d'échec en échec. La description, qui passe par un travail de documentation et d'observation précis, n'a plus pour unique but de soutenir l'histoire : elle devient omniprésente, se perd dans le détail, passe par des personnages aux points de vue contradictoires dans une sorte de vertige de l'objectivité. La subjectivité du narrateur est bannie. *L'Éducation sentimentale* va dans le même sens — ce que Zola saluera en qualifiant cette œuvre de « modèle du roman naturaliste » !

On évoque aussi, à propos du réalisme, le cas particulier des frères Goncourt, Edmond et Jules, qui rêvent d'un « réalisme de l'élégance », en même temps qu'ils accordent une attention presque maniaque à des détails parfois sordides. Leur recherche de la beauté à travers le vrai, comme dans *Germinie Lacerteux* (1865), les conduit à privilégier dans l'écriture les mots rares, voire les néologismes, les accumulations de groupes nominaux, de figures. C'est ce que l'on appelle « l'écriture artiste », que Zola critique sévèrement et que Maupassant attaque à la fin de sa préface *Le Roman*, qualifiant les Goncourt de « collectionneurs de termes rares » qui manient des « verbes morts ». Néanmoins ces derniers constituent l'un des maillons de la chaîne qui relie le réalisme au naturalisme, en raison de l'importance qu'ils accordent à la science et de la démarche scientifique qu'ils adoptent dans leurs œuvres.

L'emploi du terme « réaliste » par la critique a donc contribué à regrouper sous la même bannière un ensemble d'auteurs relativement hétérogène, qui rendent la définition du réalisme parfois contradictoire.

3. Pierre et Jean *et le réalisme*

Maupassant a vingt ans lorsqu'il fait la connaissance de Flaubert, auprès de qui il commence son apprentissage littéraire. C'est ainsi que ce dernier lit et corrige tous les manuscrits du jeune écrivain. Maupassant lui rend d'ailleurs hommage dans *Le Roman*. Cette filiation réaffirmée en tête de *Pierre et Jean* invite nécessairement le lecteur à chercher d'éventuelles traces de réalisme dans son œuvre.

Certains aspects font bien de ce roman un miroir de la vie réelle. L'action située au Havre et l'énumération de petites villes côtières alors à la mode comme Saint-Jouin, Houlgate ou Trouville nous renseignent avec exactitude sur la Normandie du XIXe siècle. De la même façon, le vocabulaire maritime employé est précis et tout à fait exact. Les personnages appartiennent à la petite bourgeoisie et sont loin de toute dimension héroïque. On pénètre *in medias res* (avec la scène de pêche de l'incipit) dans un univers médiocre et banal, centré notamment sur l'argent, pour enchaîner ensuite les scènes de vie quotidienne. La doctrine réaliste n'avait pas d'autre ambition.

2.

Le naturalisme

1. *La doctrine naturaliste*

Au moment où Maupassant écrit *Pierre et Jean,* il y a relativement peu de temps que le nom « naturalisme » et l'adjectif « naturaliste » sont appliqués au roman. Pourtant ces mots ne sont pas nouveaux : ils ont derrière eux une longue histoire dans le domaine des sciences et des beaux-arts.

Le mot « naturaliste » est attesté depuis 1527 avec le sens de « personne qui étudie l'histoire naturelle », et on le retrouve dans l'*Encyclopédie* de Diderot et d'Alembert pour désigner « une personne qui a étudié la nature », mais aussi ceux qui « n'admettent point de Dieu » ; parallèlement, il renvoie dans le domaine des beaux-arts à une « personne qui estime nécessaire l'imitation de la nature en toute chose ». À partir de cette dernière définition, le terme est d'abord utilisé au XIXe siècle dans le domaine artistique, avant de s'appliquer à la littérature, à partir de 1865 environ, par l'intermédiaire d'Émile Zola (1840-1902). Le naturalisme en littérature reprend alors ses différents sens, s'appliquant à des œuvres qui s'attachent à l'imitation de la nature en s'appuyant sur la science (qui a considérablement progressé depuis les premiers écrits réalistes) pour expliquer ses phénomènes, sans avoir recours à la présence divine. Ce courant peut donc apparaître comme une systématisation du réalisme. Le roman devient un lieu d'expérimentation et d'observation des effets du milieu social et de l'hérédité sur les comportements, notamment à partir des travaux du scientifique Claude Bernard (1813-1878). Le terme même de roman est d'ailleurs contesté par Zola dans *Le Roman expérimental* (1880) :

> « Il est fâcheux […] que nous n'ayons pu changer ce mot de *roman* qui ne signifie plus rien, appliqué à nos œuvres naturalistes. Ce mot entraîne une idée de conte, d'affabulation, de fantaisie, qui jure particulièrement avec les procès-verbaux que nous dressons. »

L'œuvre naturaliste se veut expérimentation objective autour de personnages, derrière lesquels l'auteur doit complètement disparaître pour ôter tout soupçon de subjectivité. Les thèmes de prédilection des naturalistes sont les milieux sociaux les plus bas, les personnages ordinaires et déterminés, mais aussi le corps humain, objet d'étude du romancier devenu scientifique et médecin.

2. *Émile Zola... et les autres*

Les théories naturalistes ont été établies principalement par Émile Zola. Parallèlement à sa production romanesque, constituée notamment du cycle des Rougon-Macquart, « histoire naturelle et sociale d'une famille sous le Second Empire », il a consacré plusieurs ouvrages à la question à partir de ses premiers écrits théoriques et de la seconde préface (1868) de *Thérèse Raquin*, dans laquelle il explique avoir voulu « étudier des tempéraments et des caractères ». La grande période du naturalisme s'étend de la publication de *L'Assommoir* en 1877 à celle de *À Rebours* de Joris-Karl Huysmans (1848-1907) en 1884. Même si des auteurs continuent de se réclamer du naturalisme au début du XXe siècle, on peut considérer que sa fin coïncide avec la publication en 1893 du dernier volume des Rougon-Macquart, *Le Docteur Pascal*.

Pourtant, Zola n'est pas le seul auteur naturaliste. Au-delà du fait qu'il se réclame de Balzac, Stendhal et Flaubert, il rassemble autour de lui un certain nombre d'auteurs amis que l'on a réunis sous le nom de « groupe de Médan », nom du village, près de Paris, où il les recevait. Le naturalisme s'est en effet toujours voulu un rassemblement d'écrivains aux conceptions littéraires proches plutôt qu'une école. C'est pourquoi un certain nombre d'auteurs n'ont fait qu'appartenir un temps au groupe, avant de passer leur chemin, allant parfois jusqu'à renier leur lien premier.

Parmi ces auteurs qui se réunissaient chez Zola ou qui ont été influencés directement par lui, on peut relever Huysmans, Paul Alexis, Alphonse Daudet, mais aussi… Guy de Maupassant.

Pour prolonger la réflexion

Quelques écrits théoriques d'Émile Zola peuvent être mis en relation avec *Le Roman*, la préface de *Pierre et Jean* :

Préface de la deuxième édition de *Thérèse Raquin*, 1868.

Le Roman expérimental, 1880.

Les Romanciers naturalistes, 1881.

3. Pierre et Jean *et le naturalisme*

Maupassant entre en relation avec Zola en 1873, par l'intermédiaire de Flaubert. À partir de 1876, il fait partie du groupe d'auteurs qui se réunit à Médan, et il publie en 1880 *Boule de suif*, sa première nouvelle, sous la bannière naturaliste. Que retrouve-t-on de ces débuts naturalistes dans *Pierre et Jean* ?

L'œuvre y est d'abord liée par le choix du sujet : la dégradation d'une situation dans un monde clos, marqué par l'hérédité et dont on ne peut s'échapper (sauf par voie maritime, à la fin, avec néanmoins la perspective d'un retour). Le vocabulaire lié à ce milieu parvient d'ailleurs au lecteur par les paroles rapportées, comme le « zut » du père Roland.

Le naturalisme réside aussi dans le choix du point de vue, qui s'inverse au milieu du roman et qui semble garantir un temps l'objectivité, ainsi que dans l'économie des moyens et la justesse de l'expression en certains points du texte. Ainsi, on assiste à d'intéressants portraits en actes, souvent plus parlants qu'un long développement psychologique. C'est le cas par exemple, à la toute fin du chapitre 2 : « [Pierre] s'endormit après avoir bu deux verres d'eau. » Ce passage constitue une sorte d'ellipse objective : les deux verres inhabituels traduisent un trouble. Le verre d'eau revient d'ailleurs au début du chapitre 5, à un autre moment d'émotion intense. Dans le même ordre d'idées, au chapitre 1, la description — précise et en trois temps — de la bonne apportant le thé à partir des objets qu'elle manipule, renvoie aussi à l'esthétique naturaliste. On retrouve encore une minutieuse peinture d'intérieur, élément courant chez les naturalistes, au début du chapitre 7, lors de la visite du nouvel appartement de Jean.

Enfin le lien avec le naturalisme réside dans les choix de Maupassant concernant son personnage principal. Pierre est un médecin (même s'il est souvent comparé dans le roman à un magistrat, attribution qui devrait plutôt, théoriquement, revenir à son frère qui a fait des études de droit) qui observe les autres tandis que l'on observe sa vie psychologique et sociale (chapitre 5) :

> « Il aurait fallu si peu de chose, à lui médecin, pour reconnaître cela, la forme de la mâchoire, la courbure du nez, l'écartement des yeux, la nature des dents ou des poils, moins encore, un geste, une habitude, une manière d'être, un goût transmis, un signe quelconque bien caractéristique pour un œil exercé. »

La science n'est pas très loin. Le prénom de Pierre est aussi celui du fils aîné d'Adélaïde Fouque, dans le roman de Zola qui inaugure la série des Rougon-Macquart, son seul fils légitime. Faut-il y voir un clin d'œil ?

3.

L'originalité de *Pierre et Jean*

Si Maupassant a été très proche des naturalistes et si *Pierre et Jean* garde des traces de cette proximité, l'auteur se démarque peu à peu de ce mouvement et impose désormais son originalité.

1. *Les distances par rapport au réalisme...*

En fréquentant Flaubert d'un côté et Zola de l'autre, Maupassant s'est forgé une doctrine personnelle, qu'il expose dans sa préface intitulée *Le Roman*. Il y évoque notamment les limites du réalisme. En effet, la volonté d'être fidèle au réel se heurte au fait que le romancier ne peut pas *tout* dire. Le principe de vérité serait donc mis en péril :

> « Mais en se plaçant au point de vue même de ces artistes réalistes, on doit discuter et contester leur théorie qui semble pouvoir être résumée par ces mots : "Rien que la vérité et toute la vérité."[…] Raconter tout serait impossible, car il faudrait alors un volume au moins par journée, pour énumérer les multitudes d'incidents insignifiants qui emplissent notre existence. Un choix s'impose donc, — ce qui est une première atteinte à la théorie de toute la vérité. »

Il insiste sur l'impossibilité en littérature de reproduire la vie par un simple mécanisme photographique, ce qui l'amène à opérer des choix judicieux dans la réalité. Ce faisant, il propose une *illusion* du réel. *Pierre et Jean* illustre parfaitement cette théorie, puisque les choix y sont nettement visibles, et clairement soulignés par les ellipses. De plus, le roman rompt avec une règle des réalistes qui veut que l'on représente des situations banales dans la vie de personnages banals. Si les personnages sont effectivement médiocres, la situation reste exceptionnelle et le récit est condensé autour d'une crise.

Un choix s'opère également pour les différentes focalisations. Ce n'est qu'à la toute fin du roman qu'on accède aux pensées de Mme Roland. Le but est évidemment de renforcer l'effet d'attente avant l'aveu du secret, mais cette attente constitue en même temps une rupture avec l'objectivité. La réalité est analysée par un narrateur partial qui va jusqu'à se moquer de ses personnages.

2. *... et au naturalisme*

Cette présence subjective est tout aussi contraire aux doctrines naturalistes. La présence de l'auteur derrière son texte se fait parfois clairement sentir, par exemple lorsqu'un narrateur extérieur intervient, prenant la parole au père Roland qui commente sans relâche la vue sur l'Océan :

> « Les femmes, plus nerveuses, sentent parfois, sans comprendre pourquoi, que le bruit d'une voix inutile est irritant comme une grossièreté. »

Maupassant, parlant dans sa préface des romans psychologiques, souligne l'idée que le *moi* de l'auteur se dissimule en chaque personnage. Il repousse dans ses romans la notion d'expérimentation chère aux naturalistes qui transforment le romancier en expérimentateur laissant ses personnages évoluer d'eux-mêmes. Par ailleurs, on est loin dans *Pierre et Jean* du détail et de la précision que réclame Zola. La concentration de l'action autour du personnage de Pierre, dans l'observation de la famille Roland, amène chez Maupassant une économie de moyens que l'on ne retrouve pas dans ses romans précédents. La chronologie est à peine indiquée (peu de détails permettent de dater précisément l'histoire) et les décors restent très généraux. En effet les références au Havre ou à la jetée de Trouville, pour s'appuyer sur la réalité, n'en sont pas moins très brèves. On va ici vers une épuration du roman sans cependant résister à la tentation de réaliser une belle peinture marine de la côte normande : l'impressionnisme n'est jamais très loin.

Dans *Pierre et Jean*, Maupassant est finalement plus proche de Flaubert en revendiquant l'originalité — la non-conformité à un modèle — et l'expression de la vision de l'écrivain à travers les personnages, comme un hommage rendu à son maître, déjà souligné dans la préface. Les liens de cette œuvre avec le réalisme et le naturalisme font surtout ressortir les particularités d'une approche plus riche et plus complexe qu'elle ne peut le sembler au premier abord.

Pour un panorama de la littérature du XIXᵉ siècle

Littérature française du XIXᵉ siècle, Paris, PUF, 1993.

Pour approfondir la question du réalisme et du naturalisme

Jacques-Henri BORNECQUE et Pierre COGNY, *Réalisme et naturalisme*, Hachette, 1958.

Carlos HORCAJO, *Le Naturalisme*, Paris, Magnard, 2002.

Henri MITTERAND, *Le Discours du roman*, PUF, 1980.

Et bien sûr les romans du XIXᵉ siècle…

Genre et registre

Rencontre des genres
et pluralité des registres

SI *PIERRE ET JEAN* constitue un point de convergence entre plusieurs mouvements littéraires, cette œuvre est également un carrefour de genres. En effet le roman de mœurs, pratiqué par Maupassant dans ses premiers romans, croise le roman psychologique, avec *Fort comme la mort* et *Notre cœur. Pierre et Jean* passe donc sur la ligne habituelle d'opposition, à l'intérieur du genre romanesque, entre récits d'analyse et de mœurs. Cette opposition est d'ailleurs rappelée dans la préface où Maupassant distingue le « roman d'analyse pure » du « roman objectif », prenant parti pour le second. Cela donne au texte toute sa profondeur, renforcée par une forte pluralité des registres.

1.

Les genres

1. *Roman ou nouvelle ?*

Dans sa préface, Maupassant désigne *Pierre et Jean* comme un « petit roman ». Il est vrai que le texte apparaît, à l'intérieur de la production romanesque de l'auteur, extrêmement court, ce qui a amené son éditeur à lui demander une préface consistante. Pour un écrivain connu autant pour ses nombreuses nouvelles que ses romans, cette brièveté, après avoir fait bondir de joie le lecteur pressé, n'est pas sans soulever quelques questions sur lesquelles la critique est largement revenue. En effet si Maupassant mène de front deux carrières, et si les thèmes des nouvelles se retrouvent bien sûr dans les romans, les deux genres sont cependant nettement distincts : de courts récits bien délimités resserrés autour d'une brève action centrale d'un côté, de vastes histoires de l'autre (*Bel-Ami*, avec ses dix-huit chapitres, est deux fois plus épais). Les neuf chapitres de ce récit apparaissent donc comme une exception. La raréfaction des événements dans cet univers clos, presque encadré, justifie ce resserrement. Le thème du secret à dévoiler, qui revient dans plusieurs nouvelles de Maupassant, va d'ailleurs dans ce sens en concentrant le récit autour de ce moment de crise. Néanmoins, *Pierre et Jean* présente des caractéristiques différentes de la nouvelle. Maupassant donne le temps au lecteur d'apprécier, par des effets d'attente et des pauses, le vertige face au vide qui semble se dégager de cette œuvre. Le récit «prend le temps», peut-être plus que dans une nouvelle, tout en reprenant une partie de son esthétique. C'est ce qui justifie cette longueur intermédiaire, que l'on pourrait qualifier de «bâtarde» mais qui se trouve pourtant légitimée.

2. *Un roman de mœurs*

Malgré la brièveté de l'œuvre, l'idée de peinture sociale demeure. Le roman aborde en effet un nouveau milieu, après la presse et le journalisme dans *Bel-Ami* et la haute société dans *Mont-Oriol* : la petite bourgeoisie commerçante. Les mœurs sont les habitudes, les cou-

tumes d'une société ou d'une personne : le roman de
mœurs prétend donc observer la vie d'un groupe social
donné à un moment donné. C'est en partie ce qui se
passe dans *Pierre et Jean* : on pénètre dans la morne vie
intime d'une famille bourgeoise, pour constater sa
médiocrité, et notamment celle du père, figure naïve
du « cocu content ». Les scènes de repas ou les séances
de pêche participent à cette esthétique, en permettant
d'observer l'existence d'un milieu. La dimension réaliste de l'œuvre va dans ce sens.

Maupassant désigne lui-même *Pierre et Jean*, dans une
lettre à son avocat Émile Strauss datée de janvier 1888,
comme une « étude de mœurs », l'inscrivant ainsi dans
la continuité de ses précédents romans. On se rapproche de ce qu'il appelle dans sa préface le « roman
objectif » qu'il déclare préférer au « roman d'analyse ».
La caractéristique principale de ce « roman objectif »
serait de dissimuler la psychologie derrière les actes, de
traduire les états d'âme par des comportements, ce qui
garantirait la sincérité de l'œuvre. Mais il ne se plie que
partiellement à cette règle (certains gestes de Pierre ne
sont en effet décrits que pour traduire son agitation
intérieure) ; le roman se forge surtout dans l'esprit de
Pierre : or cet esprit est directement exposé au regard
du lecteur.

3. *Une « étude psychologique »*

Pierre et Jean laisse en effet nettement pressentir l'évolution de Maupassant vers le roman psychologique et
le premier paragraphe de la préface, contredisant la
lettre à Émile Strauss que l'on évoquait, le définit clairement comme une « étude psychologique ». Même si
par la suite la préface semble paradoxalement critiquer
ce type d'œuvre, Maupassant prend soin de signaler que

l'analyse psychologique « peut cependant nous donner des œuvres d'art aussi belles que toutes les autres méthodes de travail ». Le lecteur est prévenu...

Le romancier qui veut faire de la psychologie pure « ne peut que se substituer à tous ses personnages ». Il y a donc un peu de Maupassant en Pierre : il porte une attention toute particulière aux états d'âme, aux sautes d'humeur ou aux sensations presque indéfinissables de son personnage principal (début du chapitre 2) :

> « Il se sentait mal à l'aise, alourdi, mécontent comme lorsqu'on a reçu quelque fâcheuse nouvelle. Aucune pensée précise ne l'affligeait et il n'aurait su dire tout d'abord d'où lui venait cette pesanteur de l'âme et cet engourdissement du corps. »

L'action devient subjective car tout se construit dans la conscience du héros. Le roman se trouve réduit aux personnages essentiels, mais il y gagne en profondeur. La dimension psychologique empêche qu'ils se limitent à un seul trait de caractère et leur donne de l'épaisseur. Leur donner la parole, ou plus exactement se mettre à l'écoute de leur parole intérieure, permet au lecteur de pénétrer dans leur intimité par le jeu des points de vue et des paroles rapportées, souvent au discours indirect libre.

En pratiquant ainsi le roman d'analyse, Maupassant se place encore une fois paradoxalement dans une tradition qui le lie notamment à l'écrivain Eugène Fromentin (1820-1876), ancien peintre qui, cherchant à rendre par l'écriture ce qu'il ne pouvait pas exprimer par le pinceau, affirmait — en pleine période réaliste — qu'il fallait prendre du recul par rapport à la réalité pour mieux la saisir. Il établit aussi un lien moins étonnant entre son œuvre et celle de son maître Gustave Flaubert.

De la même manière qu'il ne s'inscrit complètement dans aucun mouvement littéraire, il est donc impossible de réduire *Pierre et Jean* à un seul et unique genre : telle est sa richesse.

2.

Les registres

1. *Du pathétique au tragique*

Dans une lettre à sa mère, Maupassant écrit :

> « *Pierre et Jean* aura un succès littéraire, mais non un succès de vente. Je suis sûr que le livre est bon, je te l'ai toujours écrit ; mais il est cruel, ce qui l'empêchera de se vendre. »

Maupassant a de l'estime pour son propre roman, mais fait également apparaître une dimension noire : la cruauté. Celle du destin d'un fils légitime qui se retrouve écarté de sa famille. Celle aussi, et presque sadique, de la torture morale que Pierre inflige à sa mère à partir du moment où elle « sait qu'il sait ».

Cette cruauté peut éveiller la pitié du lecteur pour les personnages qui souffrent, même si la médiocrité de ces derniers est un obstacle. La pitié dans l'œuvre littéraire relève du registre pathétique (du grec *pathos* qui signifie souffrance), qui cherche à émouvoir le lecteur par des discours ou des situations marqués par la passion, la souffrance, la difficulté de vivre. Ses marques sont la description des signes physiques de la douleur, un lexique des émotions (douleur, terreur, pitié…), des rythmes brisés, des interjections, etc. Plusieurs passages de *Pierre et Jean* sont marqués par ce registre. La plupart mettent en scène Mme Roland. C'est le cas de la scène de l'aveu au chapitre 7. Jean est touché par la souffrance de sa mère et le discours des deux personnages en larmes est marqué par les répétitions, les phrases brisées par des points de suspension ou d'exclamation ou encore des interjections. Le vocabulaire contribue aussi bien sûr à renforcer le pathétique de cette scène qui constitue le paroxysme de la crise.

Au registre pathétique est parfois associé, et c'est le cas ici, le registre tragique, qui montre l'homme face à une puissance (destin, amour, société, histoire…) qui le dépasse et l'écrase malgré sa résistance. Il est souvent lié à l'idée de mort sans s'y limiter cependant et est caractérisé par le lexique de la fatalité et par l'évocation d'un espace, d'une action et d'un temps limités. Dans *Pierre et Jean*, le registre tragique touche Pierre qui perd la maîtrise de son destin. Le tournant décisif de l'œuvre est très nettement suggéré au chapitre 6, lorsque Jean s'approprie la parole romanesque aux dépens de Pierre. À cet instant, juste après la demande en mariage, Pierre est étendu sur la plage et «son corps étendu sur le ventre» est comparé à un «cadavre». L'image de la mort revient plus loin, dans le dernier chapitre, lorsque Pierre, qui se considère comme un «condamné à mort» visite sa future cabine sur le paquebot *La Lorraine* : «Une heure plus tard il était étendu dans son petit lit marin, étroit et long comme un cercueil.» Comment ne pas noter enfin l'attitude de Mme Roland qui à la fin s'exprime d'une voix tremblante, qui pleure, et qui est décrite ainsi : «Elle était en noir, comme si elle eût porté un deuil.» L'étude des personnages permet la jonction du pathétique et du tragique en un seul roman.

2. *Le registre délibératif*

Un autre registre important tient au genre de l'étude psychologique évoqué plus haut et à la focalisation interne sur Pierre choisie pour une partie de l'œuvre : le registre délibératif. Il désignait dans l'Antiquité l'éloquence du conseiller chargé d'encourager un homme de pouvoir à s'engager dans une certaine voie ou au contraire de l'en dissuader : il s'agissait d'envisager ce qu'il était possible de faire et ce qui ne l'était pas. Le délibératif est aujourd'hui défini comme le registre caractéristique de l'incertitude. Or c'est bien ce sentiment qui caractérise Pierre pendant la plus grande partie de l'œuvre, ou plus exactement la douloureuse recherche de la certitude. C'est un être double, capable d'être sociable et enjoué à un moment, puis misanthrope l'instant d'après. Ces changements sont dus à l'avancée de sa quête. On le voit s'interroger, questionner les autres et leurs attitudes, scruter les objets comme le portrait, et surtout hésiter, seul. Tantôt il chasse les horribles soupçons qui l'assaillent, tantôt il entrevoit qu'ils constituent la vérité, oscillant entre agitation violente et apaisement. Le registre délibératif est évoqué par cette idée d'incertaine instabilité et apparaît notamment dans les passages où Pierre sort se promener seul.

3. *La satire et ses procédés*

Les registres que l'on vient d'évoquer (pathétique, tragique et délibératif) sont directement liés aux personnages et à leur évolution. Mais il est intéressant de noter que, dans *Pierre et Jean*, on a également un regard distant et critique du narrateur sur les personnages.

Cette vision subjective transparaît à plusieurs moments du texte, et est souvent l'occasion d'une satire.

On peut prendre deux exemples concrets : l'annonce de l'héritage et la demande en mariage. L'annonce de l'héritage, tout d'abord, laisse apparaître des réactions très contrastées. Si l'émotion de Mme Roland renvoie encore au registre pathétique, on retiendra aussi la joie difficilement contenue du père Roland, dont les répliques scandées par ses jurons sombrent dans le comique, et la satisfaction du notaire qui laisse échapper un retentissant : « Ça fait toujours plaisir d'apporter aux gens une bonne nouvelle. » La satire naît du décalage entre la situation et ces réactions. On peut parler ici d'ironie, registre qui consiste à affirmer quelque chose en laissant entendre le contraire, souvent liée à la figure de style qu'on appelle l'antiphrase. Au sens large, l'ironie renvoie à tout décalage qui donne lieu à la moquerie ou à la raillerie. En littérature, elle peut donc renvoyer à un énoncé où le locuteur laisse la parole à ses adversaires pour mieux les discréditer, pratique employée par exemple par les auteurs des Lumières. On la retrouve sous cette forme dans ce passage de *Pierre et Jean*, à la différence près que le narrateur ne laisse pas la parole à des adversaires mais à ses personnages. Il insiste sur leur médiocrité en démasquant les arrière-pensées du père Roland, qui n'a qu'un but : « arriver à la question intéressante ». L'ironie permet ici de donner libre cours à la satire de l'esprit petit-bourgeois qui n'accorde de réelle importance qu'à l'argent.

Un peu plus loin dans l'œuvre, le passage de la demande en mariage laisse apparaître ce même registre satirique. La déclaration d'amour de Jean est anéantie par la froideur raisonnable de Mme Rosémilly, et la scène tourne au comique de situation : deux personnages, les pieds dans l'eau, qui n'ont plus rien à se dire puisque le mariage a été conclu en quelques répliques et qui se tiennent par la main («encore mouillée», prend soin de préciser le narrateur). Ce comique ouvre l'accès à une satire du mariage, qui apparaît comme un piège dans lequel on tombe en «vingt paroles».

Derrière le narrateur, se fait sentir le poids des idées de l'auteur. On peut s'amuser à retrouver le registre satirique qui naît de l'ironie et du comique dans plusieurs autres passages de l'œuvre, notamment ceux qui mettent en scène le père Roland, personnage qui se rapproche du type comique. La satire apparaît alors comme un élément qui contribue à donner une autre complexité au texte en le ramenant de nouveau vers le roman de mœurs.

Autour du genre romanesque

Sur l'histoire du genre : Henri COULET, *Le Roman jusqu'à la Révolution,* et Michel RAIMOND, *Le Roman depuis la Révolution*, Paris, Armand Colin, 1981.

Un outil d'analyse : Bernard VALETTE, *Le Roman*, Paris, Nathan, 1992.

Pour approfondir l'étude de *Pierre et Jean*

Louis FORESTIER, notice de *Pierre et Jean* dans son édition des romans de Maupassant, Paris, Gallimard, coll. «Bibliothèque de la Pléiade», 1987.

Marie-Claire ROPARS-WUILLEUMIER, «Lire l'écriture», in *Esprit*, n° 12, décembre 1974.

L'écrivain
à sa table de travail

La genèse du roman

PIERRE ET JEAN a été rédigé assez rapidement à l'été 1887, et l'établissement du texte ne pose guère de problèmes. À part quelques variantes significatives, le manuscrit, conservé à la Bibliothèque nationale, offre surtout des corrections de détail. Plus intéressant se révèle tout ce qui, entourant la composition de cette œuvre, est susceptible d'éclairer son étude.

1.

L'inspiration directe

L e sujet de l'œuvre vient, selon Maupassant lui-même, d'un fait divers. C'est du moins ce qu'il écrit à Édouard Estaunié, un auteur qui prépare à l'époque un roman sur le même thème, pour justifier l'apparente ressemblance entre leurs deux livres, sans préciser davantage son origine. Maupassant recherchait en effet parfois son inspiration dans la presse. Néanmoins il donne à Mme Lecomte du Noüy, une amie proche, une autre version qu'elle rapporte ainsi :

> « C'est un fait réel qui lui a donné l'idée d'écrire ce
> livre. Un de ses amis vient de faire un héritage de huit

millions. [...] Il paraît que le père du jeune homme
était vieux, la mère jeune et jolie. Guy a cherché comment le don d'une pareille fortune pouvait s'expliquer ; il a fait une supposition qui s'est imposée à lui ;
il va la développer et nous devons aller ensemble
samedi au Havre pour qu'il se pénètre du paysage, des
bassins et des mouvements du port, d'une façon absolument juste. »

On reconnaît là des éléments essentiels de *Pierre
et Jean* : l'héritage bien sûr, mais aussi le peu d'attraits
du père et la « supposition » qui va amener le personnage de Pierre à enquêter. Ce témoignage permet
de relever les méthodes de Maupassant, qui repère
précisément les lieux de son roman, dans une région
qui est celle de son enfance et de nombre de ses
œuvres. Que l'inspiration directe procède de la lecture d'un fait divers ou « réel » concernant son entou-
rage, on retrouve dans ce récit les marques d'un univers
dans lequel ses œuvres sont ancrées depuis bien longtemps.

2.

L'univers de Maupassant

En effet, tous les thèmes qui sont chers à Maupassant
sont ici présents : la Normandie, la mer, la famille
(le fils illégitime, la mère)... Il convient donc, pour étudier la genèse de *Pierre et Jean*, de mettre le roman en
perspective avec les œuvres qui l'ont précédé, et avec
les éléments de son univers personnel qui pèsent si fort
sur son écriture dès que l'auteur s'installe à sa table
de travail.

1. Les thèmes obsédants

Parmi les thèmes directement biographiques : la Normandie. Maupassant renoue dans ce roman avec la région qui l'a vu naître et qu'il avait délaissée après *Une vie* pour les paysages parisiens, et il ne la quitte pas, même si Paris, où a eu lieu la longue aventure entre Maréchal et Mme Roland, est toujours à l'arrière-plan. La Normandie et Le Havre lui donnent prétexte à quelques descriptions, notamment maritimes. Car l'eau est un autre thème cher à Maupassant, qui y trouve l'occasion d'utiliser son expérience de la navigation et du canotage.

Mais un autre thème obsède plus encore l'écrivain : celui de la famille, décrit surtout dans le lien entre la mère et l'enfant illégitime. Maupassant est resté marqué par son enfance et les disputes continuelles de ses parents, qui se sont séparés lorsqu'il avait treize ans. Il a été ensuite élevé par sa seule mère. Il règle ses problèmes avec le couple parental dans plusieurs œuvres, abordant la question sous différents aspects. *Pierre et Jean* revient ainsi sur le rapport que la psychanalyse a défini comme œdipien, c'est-à-dire toujours chargé d'ambiguïté entre un fils et sa mère. Mais l'illégitimité révèle la toute-puissance maternelle : le lien paternel n'existe que par sa parole, c'est elle qui « sait », c'est elle qui le crée en disant : « C'est ton père. » La question de l'enfant illégitime est loin d'être indifférente et étrangère pour Maupassant, qui aurait eu trois enfants entre 1883 et 1887 (date d'écriture de *Pierre et Jean*) avec Joséphine Litzelmann, et qui aurait pourvu à leurs besoins matériels sans toutefois accepter de les reconnaître.

Enfin le thème de la fratrie introduit celui du double. Maupassant lui-même a eu un double familial, un frère, Hervé, à la fois très différent — il ne lui ressemblait pas

du tout —, et très proche — il s'en est occupé puis a dû
le faire interner avant que lui-même ne devienne fou,
vaincu par la maladie. Si ce triste épisode de sa vie est
postérieur au roman, on peut cependant noter que
Pierre et Jean sont justement deux frères à la fois opposés physiquement, et très proches dans certaines attitudes ou certains goûts. Or, note Maupassant dans sa
préface *Le Roman*, dans les romans psychologiques,
« c'est toujours nous [= l'auteur] que nous montrons
dans le corps d'un roi, d'un assassin, d'un voleur ou
d'un honnête homme… ». Pierre et Jean sont les deux
facettes de Maupassant.

2. *Un système d'écho*

Pierre et Jean n'est pas la seule œuvre de Maupassant
où ces thèmes sont présents, et le roman s'inscrit dans
la continuité d'une riche production littéraire (romans
et nouvelles) qui participe indirectement à sa genèse.
La troisième version du *Horla*, par exemple, date de
1887 et le thème du double est très présent dans l'esprit de Maupassant lorsqu'il entreprend la rédaction de
Pierre et Jean. Les thèmes de la Normandie et de la
famille se retrouvent dès 1883 dans *Une vie*, tout comme
l'amour du pays natal et de l'eau, la maternité, le mépris
du père, l'obsession de la bâtardise… le tout teinté d'un
pessimisme qui traverse l'œuvre de l'auteur. L'enfant
illégitime revient plusieurs fois, depuis les premiers
écrits (par exemple *Le Papa de Simon* en 1879) aux tout
derniers (*Le Champ d'oliviers*, 1890). Le travail de Maupassant est marqué par l'intertextualité (le rapport
entre les textes) et *Pierre et Jean* ne fait pas exception à
la règle : il ne s'interprète qu'au sein d'un ensemble
d'une grande cohérence.

3.

Les variantes

1. *L'allégement du texte*

L'étude d'un texte passe par celle de ses différentes strates. Dans *Pierre et Jean*, la plupart des variantes que dévoile le manuscrit vont dans le sens d'une simplification du texte. Maupassant supprime des jugements ou des intrusions personnelles trop visibles et incompatibles avec ses conceptions du roman ; il change un mot, cherche une expression concise, ce qui lui offre l'opportunité de rendre sa phrase plus fluide. C'est le cas de la description de la côte normande au milieu du chapitre 1, ou plus exactement de la réaction de Mme Roland et de Mme Rosémilly face à l'Océan : d'abord « enveloppées par la calme et souveraine beauté du soir » puis « rendues silencieuses », elles sont simplement « émues » dans la version finale. Cette recherche de la simplicité, du mot juste, concorde avec ce que Maupassant déclare à la fin de sa préface *Le Roman* tout en citant le vers de Boileau, « D'un mot mis en sa place enseigna le pouvoir » :

> « Quelle que soit la chose qu'on veut dire, il n'y a qu'un mot pour l'exprimer, qu'un verbe pour l'animer et qu'un adjectif pour la qualifier. Il faut donc chercher, jusqu'à ce qu'on les ait découverts, ce mot, ce verbe et cet adjectif [...] »

Le vocabulaire est d'ailleurs son principal point de désaccord avec le style des frères Goncourt et ce que l'on appelle « l'écriture artiste ». Il rejette leur vocabulaire « bizarre, compliqué, nombreux et chinois ». Cependant cela ne le conduit pas à tomber dans la facilité et il renonce par exemple à la transcription de l'accent polonais de Marowsko au chapitre 2 après avoir envisagé d'écrire «une ponne liqueur, très ponne, très ponne».

Les modifications qui constituent cette première série de variantes sont abondantes, mais ne vont en général pas au-delà de quelques mots. Un spécialiste de Maupassant, Louis Forestier, souligne d'ailleurs un détail amusant (dans son édition de la Bibliothèque de la Pléiade) : lorsque l'écrivain supprime un mot, c'est souvent pour le réutiliser dans une phrase proche…

2. *La progression du roman*

La composition du roman présente une seconde catégorie de variantes. Soucieux de ménager l'attente du lecteur (tout en disséminant quelques indices ici et là) dans la lente progression de la situation de crise que rapporte le roman, Maupassant est amené à modifier son texte. Ainsi, lors de l'annonce de l'héritage, le notaire Lecanu annonçait que Maréchal laissait sa fortune au second fils qu'il avait vu «naître, grandir et qu'il s'[était] habitué à considérer comme un fils». La fin de la phrase, trop explicite, est remplacée par «et qu'il juge digne de ce legs». De la même façon, Mme Rosémilly ne boit plus à la fin du chapitre 3 à la «mémoire aimée» de Maréchal mais à sa «mémoire bénie». Lorsque, au chapitre 4, Pierre rend visite pour la seconde fois à Marowsko, qui contribue à le mettre sur la voie de la vérité, on l'entend à travers le discours indirect libre lutter contre un «soupçon terrible». La première version, qui le faisait lutter «contre cette évidence éclatante», était peut-être un peu prématurée, même si le pas entre le «vraisemblable» et le «probable », pour reprendre des termes cités dans le même passage, puis entre le probable et l'évident, est vite franchi.

Cette attention portée à la progression du roman va aussi conduire Maupassant à introduire au chapitre 6, juste avant l'excursion à Saint-Jouin, un bref passage en focalisation interne avec Jean et non plus avec Pierre. Ce changement de point de vue prépare le transfert progressif de la parole : Pierre est peu à peu dépossédé et exclu. Cet ajout va d'ailleurs de pair avec la seconde des deux longues variantes que l'on va aborder maintenant.

3. *Deux longues variantes*

Deux variantes se distinguent des autres par leur longueur et méritent d'être signalées plus particulièrement. Elles appartiennent toutes deux à la seconde moitié du roman (où se concentre d'ailleurs la majorité des modifications opérées par l'auteur).

La première intervient à la fin du chapitre 7, lors de la scène capitale de l'aveu de Mme Roland à son fils Jean. Un assez long passage (près de deux pages) a ici été réécrit, après la phrase : « Il voulut l'embrasser, mais elle le repoussa. » La première version insistait sur la préférence de la mère pour Jean, sorte de substitut de son père (« Si je t'aime tant, toi… toi… toi… plus que ton frère… C'est que tu es son fils à lui… »), sur son amour encore vif pour Maréchal (« Je lui dois tout, d'avoir pensé, d'avoir aimé, même d'avoir pleuré et d'avoir souffert. Et je l'aime encore, tout mort qu'il est, je l'aime presque autant que toi, mon petit Jean »), mais aussi sur la question de l'héritage qu'elle veut traiter sur-le-champ. La version définitive, en revanche, introduit une dimension nouvelle qui ramène les personnages à leur médiocrité : si Mme Roland parle toujours de son amour pour son amant disparu, elle évoque aussi la fin de leur relation et le déclin de ses sentiments pour elle, en arrivant à la sombre constatation : « Comme c'est misérable et trompeur, la vie ! », phrase qui résonne comme un écho de la philosophie pessimiste de Maupassant, héritée du philosophe allemand Arthur Schopenhauer (1788-1860). Les considérations sur l'affaiblissement de la passion remplacent donc l'évocation de l'héritage, mais elles sont peut-être encore plus pesantes, rappelant les personnages à leur triste condition : Jean est rabaissé au moment même où il prend de l'importance, car, malgré l'héritage, il est le fruit d'une passion éphémère et le fils d'un père vite lassé de sa mère.

La seconde variante d'envergure concerne, quelques pages plus loin, le début du chapitre 8. À l'origine, celui-ci commençait directement sur l'arrivée du père Roland qui jure et demande à manger, les pensées de Jean n'étant rapportées que plus loin, dans une analepse (un retour en arrière). La version définitive place les réflexions du cadet en tête de chapitre et vient souligner le transfert de point de vue — et donc de pouvoir — entre les deux frères, amorcé au chapitre 6. La réécriture du chapitre 8 est aussi l'occasion pour Maupassant de permettre à Jean de régler la question de l'héritage laissée en suspens à la fin du chapitre 7. Des « raisonnements ingénieux » lui font finalement accepter l'héritage : la volonté de ne pas profiter de la fortune de M. Roland pour laisser Pierre hériter pleinement de son père (solution avancée par Mme Roland dès le premier chapitre…), l'idée d'un obstacle à son mariage, mais ils ne font qu'insister sur sa médiocrité :

« Il n'aimait lutter contre personne et encore moins
contre lui-même ; il se résigna donc […]. »

4.

Le souci accordé à la structure

Les variantes qu'on vient de citer montrent l'attention minutieuse apportée à la composition du
texte mais aussi à la structure du récit.

1. *Linéarité et effets d'échos*

La régularité du roman participe pour beaucoup à
l'impression de clarté et de simplicité — peut-être trom-
peuse — qui s'en dégage. Les neuf chapitres sont d'une
longueur sensiblement égale et l'effet d'équilibre est
renforcé par le fait que chacun de ces chapitres
recouvre à peu près la même durée, celle de la journée,
si l'on excepte quelques accélérations comme la
période de calme avant la tempête du chapitre 6 (« Rien
ne survint chez les Roland pendant une semaine ou
deux »). La dégradation du climat familial apparaît
comme lente et inexorable, les rapports entre Pierre et
sa mère se modifiant au chapitre 5, lorsqu'elle comprend qu'il « sait ». Des effets de répétition viennent
jalonner ce parcours et souligner cette impression de
linéarité. Le récit est ainsi scandé par les repas et par
les nuits, qui marquent des retours à l'intérieur du
foyer, mais aussi par les réactions immuables d'un personnage, le père Roland, dont les « zut » ou les « cristi »
retentissants ponctuent le texte.

2. *Circularité et symétrie*

Parallèlement à cette linéarité, les transformations intervenues sont soulignées par un effet de circularité qui vient s'y ajouter : le roman se termine comme il avait commencé, avec la mer et les navires, la *Lorraine* ayant remplacé la *Normandie*. Mais la *Lorraine* emporte Pierre, et il y a donc un personnage de moins pour contempler le paquebot depuis *La Perle*. Ce même personnage qui au début du roman était de trop (deux femmes et trois hommes), ce qui en quelque sorte annonçait la fin.

Des éléments de la première partie reviennent aussi symétriquement dans la seconde partie comme pour entériner le renversement dans la position des deux frères : Jean a pris la place de Pierre. Pierre, par exemple, accomplit à deux reprises dans l'œuvre le même parcours entre la jetée, la brasserie et la pharmacie de Marowsko. Dans la première partie, Marowsko et la serveuse le mettent par leurs remarques sur la piste de la vérité (et la serveuse prête déjà plus d'attention à Jean) ; dans la seconde, à l'annonce de son départ, Marowsko l'accuse de l'avoir trahi et la serveuse ne lui témoigne que de l'indifférence... La symétrie vient souligner la mise à l'écart de Pierre.

Cette progression dramatique (exposition, crise, aveu, dénouement) n'est pas sans faire penser à celle d'une tragédie.

Groupement de textes

L'enfant illégitime

AU XIXe SIÈCLE, le thème de l'enfant illégitime ou naturel prend une place importante dans la littérature, et on le retrouve tout naturellement dans *Pierre et Jean*, comme dans d'autres nouvelles de Maupassant. Il y a plusieurs raisons à cela, qui déterminent plusieurs manières d'aborder ce sujet.

D'abord, l'enfant illégitime, le «bâtard» est devenu un véritable problème de société depuis la suppression du divorce (loi Bonald, 1816), incompatible avec les canons du catholicisme rétabli religion d'État, et le retour à une morale plus stricte. Les conséquences en sont de lourds secrets de famille, qui pèsent dans les relations conjugales et intrafamiliales — comme Balzac les décrit par exemple dans *La Femme de trente ans* —, et une recrudescence de l'abandon d'enfants (chaque département a désormais un hospice avec un «tour» où les enfants peuvent être déposés anonymement). Le sort de ces «enfants maudits», de ces «enfants du péché» a commencé peu à peu à éveiller l'émotion depuis le succès populaire des romans de Charles Dickens (*Oliver Twist*, 1838), puis d'Hector Malot (*Sans famille*, 1878) qui a attiré l'attention sur le triste destin des enfants abandonnés : encore leurs héros ne sont-ils victimes que de rocambolesques circonstances et à la fin retrouvent leur vraie et riche famille... Victor Hugo se montre plus proche de la réalité en dépeignant dans *Les Misérables* les malheurs de la petite Cosette que sa mère, séduite et abandonnée, a été obligée de confier aux sinistres Thénardier.

Cet apitoiement autour de l'enfant et de sa mère n'empêche pas l'expression des problèmes juridiques : ceux évoqués par Balzac dans *Ursule Mirouët*, ou par Maupassant dans sa nouvelle *Le Legs*. Dans une société aristocratique et bourgeoise, où la position sociale et la fortune ont une importance déterminante, les luttes se font âpres autour de l'héritage, et le parent pauvre qui hérite d'une fortune devient aussitôt suspect.

Enfin, les progrès de la science biologique, la découverte de facteurs héréditaires introduisent de toutes nouvelles données que les écrivains naturalistes se sont empressés d'exploiter. C'est le dessein d'Émile Zola qui écrit dans sa préface aux Rougon-Macquart : « L'hérédité a ses lois, comme la pesanteur », avant de se livrer à l'histoire parallèle de ces deux branches issues de la même mère, l'une légitime (les Rougon) et l'autre naturelle (les Macquart).

Honoré de BALZAC (1799-1850)

La Femme de trente ans (1831-1834)

(Folio classique n° 951)

Dépeignant la « Comédie humaine », Balzac fait le portrait d'une femme encore jeune qui s'ennuie dans un mariage de convenance et finit par céder à une liaison dont elle va lourdement payer les conséquences. Sur ce tableau idyllique des retrouvailles entre elle, son amant et l'enfant qu'elle a eu de lui, pèse le regard lourd de l'aînée, l'enfant légitime… Balzac lui-même a souffert de la préférence affichée qu'avait sa propre mère pour un enfant naturel qu'elle avait eu hors mariage.

Dans la contre-allée qui couronne la pente rapide au bas de laquelle frissonnent les eaux, et en regardant au-delà du pont des Gobelins, je découvris une femme qui me parut encore assez jeune, mise avec la simplicité la plus élégante, et dont la physionomie douce semblait refléter le gai bonheur du paysage. Un beau jeune homme posait à terre le plus joli petit garçon qu'il fût possible de voir, en sorte que je n'ai jamais su si le baiser avait retenti sur les joues de la mère ou sur celles de l'enfant. Une même pensée, tendre et vive, éclatait dans les yeux, dans les gestes, dans le sourire des deux jeunes gens. Ils entrelacèrent leurs bras avec une si joyeuse promptitude, et se rapprochèrent avec une si merveilleuse entente de mouvement, que, tout à eux-mêmes, ils ne s'aperçurent point de ma présence. Mais un autre enfant, mécontent, bouderur, et qui leur tournait le dos, me jeta des regards empreints d'une expression saisissante. Laissant son frère courir seul, tantôt en arrière, tantôt en avant de sa mère et du jeune homme, cet enfant, vêtu comme l'autre, aussi gracieux, mais plus doux de formes, resta muet, immobile, et dans l'attitude d'un serpent engourdi. C'était une petite fille. […]

Aussi l'attitude presque stupide de cette fille déjà pensive, la rareté de ses gestes, tout m'intéressa-t-il. Je l'examinai curieusement. Par une fantaisie naturelle aux observateurs, je la comparais à son frère, en cherchant à surprendre les rapports et les différences qui se trouvaient entre eux. La première avait des cheveux bruns, des yeux noirs et une puissance précoce qui formaient une riche opposition avec la blonde chevelure, les yeux vert de mer et la gracieuse faiblesse du plus jeune. L'aînée pouvait avoir environ sept à huit ans, l'autre six à peine. Ils étaient habillés de la même manière. Cependant, en les regardant avec attention, je remarquai dans les collerettes de leurs chemises une différence assez frivole, mais qui plus tard me révéla tout un roman dans le passé, tout un drame dans l'avenir. Et c'était bien peu de chose. Un simple ourlet

bordait la collerette de la petite fille brune, tandis que
de jolies broderies ornaient celle du cadet, et trahis-
saient un secret de cœur, une prédilection tacite que
les enfants lisent dans l'âme de leurs mères, comme si
l'esprit de Dieu était en eux. Insouciant et gai, le blond
ressemblait à une petite fille, tant sa peau blanche avait
de fraîcheur, ses mouvements de grâce, sa physionomie
de douceur ; tandis que l'aînée, malgré sa force, malgré la beauté de ses traits et l'éclat de son teint, ressemblait à un petit garçon maladif. Ses yeux vifs, dénués
de cette humide vapeur qui donne tant de charme aux
regards des enfants, semblaient avoir été, comme ceux
des courtisans, séchés par un feu intérieur. Enfin, sa
blancheur avait je ne sais quelle nuance mate, olivâtre,
symptôme d'un vigoureux caractère.

*L'histoire finit mal puisque, quelques pages plus loin, la
fillette, Hélène, pousse sournoisement son frère dans les eaux
de la Bièvre avant d'appeler sa mère.*

— Maman ! maman ! La mère était là, près de moi.
Elle avait volé comme un oiseau. Mais ni les yeux de la
mère ni les miens ne pouvaient reconnaître la place
précise où l'enfant était enseveli. L'eau noire bouillon-
nait sur un espace immense. Le lit de la Bièvre a, dans
cet endroit, dix pieds de boue. L'enfant devait y mourir, il était impossible de le secourir. À cette heure, un
dimanche, tout était en repos. La Bièvre n'a ni bateaux
ni pêcheurs. Je ne vis ni perches pour sonder le ruis-
seau puant, ni personne dans le lointain. Pourquoi
donc aurais-je parlé de ce sinistre accident, ou dit le
secret de ce malheur ? Hélène avait peut-être vengé
son père. Sa jalousie était sans doute le glaive de Dieu.
Cependant je frissonnai en contemplant la mère. Quel
épouvantable interrogatoire son mari, son juge éter-
nel, n'allait-il pas lui faire subir ? Et elle traînait avec
elle un témoin incorruptible.

(Chapitre IV)

Victor HUGO (1802-1885)

Les Misérables (1862)

(Folio classique n° 3223)

La Fantine de Victor Hugo est une ouvrière simple, jolie et vertueuse. Elle croit à l'amour dans les bras d'un étudiant, pour qui elle n'est qu'une aventure et qui l'abandonne. Elle est enceinte, et la voilà seule.

Le père de son enfant parti, — hélas! ces ruptures-là sont irrévocables, — elle se trouva absolument isolée, avec l'habitude du travail de moins et le goût du plaisir de plus. Entraînée par sa liaison avec Tholomyès à dédaigner le petit métier qu'elle savait, elle avait négligé ses débouchés; ils s'étaient fermés. Nulle ressource. Fantine savait à peine lire et ne savait pas écrire; on lui avait seulement appris dans son enfance à signer son nom; elle avait fait écrire par un écrivain public une lettre à Tholomyès, puis une seconde, puis une troisième. Tholomyès n'avait répondu à aucune. Un jour, Fantine entendit des commères dire en regardant sa fille : — Est-ce qu'on prend ces enfants-là au sérieux? on hausse les épaules de ces enfants-là! — Alors elle songea à Tholomyès qui haussait les épaules de son enfant et qui ne prenait pas cet être innocent au sérieux; et son cœur devint sombre à l'endroit de cet homme. Quel parti prendre pourtant? Elle ne savait plus à qui s'adresser. Elle avait commis une faute, mais le fond de sa nature, on s'en souvient, était pudeur et vertu. Elle sentit vaguement qu'elle était à la veille de tomber dans la détresse, et de glisser dans le pire. Il fallait du courage; elle en eut, et se roidit. L'idée lui vint de retourner dans sa ville natale, à Montreuil-sur-Mer. Là quelqu'un peut-être la connaîtrait et lui donnerait du travail. Oui; mais il faudrait cacher sa faute. Et elle entrevoyait confusément la nécessité possible d'une séparation plus douloureuse encore que la première. Son cœur se serra, mais elle prit sa résolution. Fantine, on le verra, avait la farouche bravoure de la vie.

Elle avait déjà vaillamment renoncé à la parure, s'était vêtue de toile, et avait mis toute sa soie, tous ses chiffons, tous ses rubans et toutes ses dentelles sur sa fille, seule vanité qui lui restât, et sainte celle-là. Elle vendit tout ce qu'elle avait, ce qui lui produisit deux cents francs ; ses petites dettes payées, elle n'eut plus que quatre-vingts francs environ. À vingt-deux ans, par une belle matinée de printemps, elle quittait Paris, emportant son enfant sur son dos.

Peu après Fantine confie sa fille Cosette à une famille d'aubergistes chez qui elle pense que sa fille sera heureuse et désormais leur envoie tout ce qu'elle gagne.

Cependant le Thénardier, ayant appris par on ne sait quelles voies obscures que l'enfant était probablement bâtard et que la mère ne pouvait l'avouer, exigea quinze francs par mois, disant que « la créature » grandissait et « *mangeait* », et menaçant de la renvoyer. « Qu'elle ne m'embête pas ! s'écriait-il, je lui bombarde son mioche tout au beau milieu de ses cachotteries. Il me faut de l'augmentation. » La mère paya les quinze francs.

D'année en année, l'enfant grandit, et sa misère aussi. Tant que Cosette fut toute petite, elle fut le souffre-douleur des deux autres enfants ; dès qu'elle se mit à se développer un peu, c'est-à-dire avant même qu'elle eût cinq ans, elle devint la servante de la maison.

Cinq ans, dira-t-on, c'est invraisemblable. Hélas, c'est vrai. La souffrance sociale commence à tout âge. N'avons-nous pas vu, récemment, le procès d'un nommé Dumolard, orphelin devenu bandit, qui, dès l'âge de cinq ans, disent les documents officiels, étant seul au monde « travaillait pour vivre, et volait ».

On fit faire à Cosette les commissions, balayer les chambres, la cour, la rue, laver la vaisselle, porter même des fardeaux. Les Thénardier se crurent d'autant plus autorisés à agir ainsi que la mère qui était toujours à Montreuil-sur-Mer commença à mal payer. Quelques mois restèrent en souffrance.

Si cette mère fût revenue à Montfermeil au bout de ces trois années, elle n'eût point reconnu son enfant. Cosette, si jolie et si fraîche à son arrivée dans cette maison, était maintenant maigre et blême. Elle avait je ne sais quelle allure inquiète. Sournoise ! disaient les Thénardier.

L'injustice l'avait faite hargneuse et la misère l'avait rendue laide. Il ne lui restait plus que ses beaux yeux qui faisaient peine, parce que, grands comme ils étaient, il semblait qu'on y vît une plus grande quantité de tristesse.

(Première partie, livre IV, chapitre 3)

Honoré de BALZAC (1799-1850)

Ursule Mirouët (1841)

(Folio classique n° 1300)

Le docteur Minoret est très attaché à sa filleule et nièce « naturelle », Ursule, jeune fille tranquille et douce qui l'a ramené à la religion. Cela inquiète beaucoup l'ensemble de sa famille.

Pendant que la filleule jouait à son parrain des variations sur la *Dernière Pensée* de Weber, il se tramait dans la salle à manger de la maison Minoret-Levrault un honnête complot qui devait avoir pour résultat d'amener sur la scène un des principaux personnages de ce drame. Le déjeuner, bruyant comme tous les déjeuners de province, et animé par d'excellents vins qui arrivent à Nemours par le canal, soit de la Bourgogne, soit de la Touraine, dura plus de deux heures. Zélie avait fait venir du coquillage, du poisson de mer et quelques raretés gastronomiques afin de fêter le retour de Désiré. [...] Une fois le café servi par Zélie, qui allait et venait comme un grain de plomb dans une bouteille de vin de Champagne, car elle se contentait d'une cuisinière ; quand Désiré, le futur avocat, eut été mis au fait du grand événement de la matinée et de ses conséquences, Zélie ferma la porte, et la parole fut donnée au notaire Dionis. Par le silence qui se fit, et par les regards que chaque héritier attacha sur cette face authentique, il était facile de reconnaître l'empire que ces hommes exercent sur les familles.

« Mes chers enfants, dit-il, votre oncle, étant né en 1746, a ses quatre-vingt-trois ans aujourd'hui ; or, les vieillards sont sujets à des folies, et cette petite...

— Vipère, s'écria madame Massin.

— Misérable ! dit Zélie.

— Ne l'appelons que par son nom, reprit Dionis.

— Eh bien, c'est une voleuse, dit madame Crémière.

— Une jolie voleuse, répliqua Désiré Minoret.

— Cette petite Ursule, reprit Dionis, lui tient au cœur. Je n'ai pas attendu, dans l'intérêt de vous tous, qui êtes mes clients, à ce matin pour prendre des renseignements, et voici ce que je sais sur cette jeune...

— Spoliatrice, s'écria le receveur.

— Captatrice de succession ! dit le greffier.

— Chut ! mes amis, dit le notaire, ou je prends mon chapeau, je vous laisse, et bonsoir.

— Allons, papa, s'écria Minoret en lui versant un petit verre de rhum, prenez ?... il est de Rome même. Et allez, il y a cent sous de guides.

— Ursule est, il est vrai, la fille légitime de Joseph Mirouët ; mais son père est le fils naturel de Valentin Mirouët, beau-père de votre oncle. Ursule est donc la nièce naturelle du docteur Denis Minoret. Comme nièce naturelle, le testament que ferait le docteur en sa faveur serait peut-être attaquable ; et s'il lui laisse ainsi sa fortune, vous intenteriez à Ursule un procès assez mauvais pour vous, car on peut soutenir qu'il n'existe aucun lien de parenté entre Ursule et le docteur ; mais ce procès effraierait certes une jeune fille sans défense et donnerait lieu à quelque transaction.

— La rigueur de la loi est si grande sur les droits des

enfants naturels, dit le licencié de fraîche date jaloux de montrer son savoir, qu'aux termes d'un arrêt de la cour de cassation du 7 juillet 1817, l'enfant naturel ne peut rien réclamer de son *aïeul naturel*, pas même des aliments. Ainsi vous voyez qu'on a étendu la *parenté* de l'enfant naturel. La loi poursuit l'enfant naturel jusque dans sa descendance légitime, car elle suppose que les libéralités faites aux petits-enfants s'adressent au fils naturel par *interposition* de personne. Ceci résulte des articles 757, 908 et 911 du Code civil rapprochés. Aussi la Cour Royale de Paris, le 26 décembre de l'année dernière, a-t-elle réduit un legs fait à l'enfant légitime du fils naturel par l'aïeul qui, certes, en tant qu'aïeul, était aussi étranger pour le petit-fils naturel que le docteur, en tant qu'on peut l'être relativement à Ursule.

— Tout cela, dit Goupil, ne me paraît concerner que la question des libéralités faites par les aïeux à la descendance naturelle ; il ne s'agit pas du tout des oncles, qui ne me paraissent avoir aucun lien de parenté avec les enfants légitimes de leurs beaux-frères naturels. Ursule est une étrangère pour le docteur Minoret. Je me souviens d'un arrêt de la Cour Royale de Colmar, rendu en 1825 pendant que j'achevais mon Droit, et par lequel on a déclaré que, l'enfant naturel une fois décédé, sa descendance ne pouvait plus être l'objet d'une *interposition*. Or, le père d'Ursule est mort. »

L'argumentation de Goupil produisit ce que dans les comptes rendus des séances législatives les journalistes désignent par ces mots : *Profonde sensation*.

« Qu'est-ce que cela signifie ? s'écria Dionis. Que le cas de libéralités faites par l'oncle d'un enfant naturel ne s'est pas encore présenté devant les tribunaux ; mais qu'il s'y présente, et la rigueur de la loi française envers les enfants naturels sera d'autant mieux appliquée que nous sommes dans un temps où la religion est honorée. Aussi puis-je répondre que sur ce procès il y aurait transaction, surtout quand on vous saurait déterminés à conduire Ursule jusqu'en cour de cassation. »

Une joie d'héritiers trouvant des monceaux d'or éclata par des sourires, par des haut-le-corps, par des gestes autour de la table [...].

(Première partie)

Émile ZOLA (1840-1902)

La Fortune des Rougon (1871)

(Folio classique n° 1290)

Ce qui intéresse Zola dans le destin des descendants d'Adélaïde Fouque, c'est leur hérédité, plus lourde encore pour les enfants illégitimes dont le nom même, Macquart, est éclaboussé — comme le dit le critique Philippe Hamon — du terrible « macqu- » de maquereau. Tandis que la branche légitime des Rougon connaîtra une rapide ascension, celle des Macquart est condamnée à végéter parmi les ouvriers et les marginaux.

Au grand scandale de la petite commune de Plassans, un an à peine après la mort de son époux Rougon, Adélaïde, mère d'un petit Pierre, prend pour amant le braconnier Macquart, gueux toujours à demi ivre. Elle en a deux enfants.

Le fils légitime, le petit Pierre Rougon, grandit avec les bâtards de sa mère. Adélaïde garda auprès d'elle ces derniers, Antoine et Ursule, les louveteaux, comme on les nommait dans le quartier, sans d'ailleurs les traiter ni plus ni moins tendrement que son enfant du premier lit. Elle paraissait n'avoir pas une conscience bien nette de la situation faite dans la vie à ces deux pauvres créatures. Pour elle, ils étaient ses enfants au même titre que son premier-né ; elle sortait parfois tenant Pierre d'une main et Antoine de l'autre, ne s'apercevant pas de la façon déjà profondément différente dont on regardait les chers petits.

Ce fut une singulière maison.

Pendant près d'une vingtaine d'années, chacun y vécut à son caprice, les enfants comme la mère. Tout y poussa librement. [...]

Soit qu'il fût averti par un instinct secret, soit qu'il eût déjà conscience de la façon différente dont l'accueillaient les gens du dehors, Pierre, l'enfant légitime, domina dès le bas âge son frère et sa sœur. Dans leurs querelles, bien qu'il fût beaucoup plus faible qu'Antoine, il le battait en maître. Quant à Ursule, pauvre petite créature chétive et pâle, elle était frappée aussi rudement par l'un que par l'autre. D'ailleurs, jusqu'à l'âge de quinze ou seize ans, les trois enfants se rouèrent de coups fraternellement, sans s'expliquer leur haine vague, sans comprendre d'une manière nette combien ils étaient étrangers. Ce fut seulement à cet âge qu'ils se trouvèrent face à face, avec leur personnalité consciente et arrêtée.

À seize ans, Antoine était un grand galopin, dans lequel les défauts de Macquart et d'Adélaïde se montraient déjà comme fondus. Macquart dominait cependant, avec son amour du vagabondage, sa tendance à l'ivrognerie, ses emportements de brute. Mais, sous l'influence nerveuse d'Adélaïde, ces vices qui, chez le père, avaient une sorte de franchise sanguine, prenaient, chez le fils, une sournoiserie pleine d'hypocrisie et de lâcheté. Antoine appartenait à sa mère par un manque absolu de volonté digne, par un égoïsme de femme voluptueuse qui lui faisait accepter n'importe quel lit d'infamie, pourvu qu'il s'y vautrât à l'aise et qu'il y dormît chaudement. On disait de lui : « Ah ! le brigand ! il n'a même pas, comme Macquart, le courage de sa gueuserie ; s'il assassine jamais, ce sera à coups d'épingle. » Au physique, Antoine n'avait que les lèvres charnues d'Adélaïde ; ses autres traits étaient ceux du contrebandier, mais adoucis, rendus fuyants et mobiles. Chez Ursule, au contraire, la ressemblance physique et morale de la jeune femme l'emportait ; c'était toujours un mélange intime ; seulement, la pauvre petite, née la seconde, à l'heure où les tendresses d'Adélaïde dominaient l'amour déjà plus calme de Macquart, semblait avoir reçu avec son sexe l'empreinte plus profonde du tempérament de sa mère. D'ailleurs, il n'y avait plus ici une fusion des deux natures, mais plutôt une juxtaposition, une soudure, singulièrement étroite. Ursule, fantasque, montrait par moments des sauvageries, des tristesses, des emportements de paria ; puis, le plus souvent, elle riait par éclats nerveux, elle rêvait avec mollesse, en femme folle du cœur et de la tête. Ses yeux, où passaient les regards effarés d'Adélaïde, étaient d'une limpidité de cristal, comme ceux des jeunes chats qui doivent mourir d'étisie.

En face des deux bâtards, Pierre semblait un étranger, il différait d'eux profondément, pour quiconque ne pénétrait pas les racines mêmes de son être. Jamais enfant ne fut à pareil point la moyenne équilibrée des deux créatures qui l'avaient engendré. Il était un juste milieu entre le paysan Rougon et la fille nerveuse Adélaïde. Sa mère avait en lui dégrossi le père. Ce sourd travail des tempéraments qui détermine à la longue l'amélioration ou la déchéance d'une race, paraissait obtenir chez Pierre un premier résultat. Il n'était toujours qu'un paysan, mais un paysan à la peau moins rude, au masque moins épais, à l'intelligence plus large et plus souple. Même son père et sa mère s'étaient chez lui corrigés l'un par l'autre. Si la nature d'Adélaïde, que la rébellion des nerfs affinait d'une façon exquise, avait combattu et amoindri les lourdeurs sanguines de Rougon, la masse pesante de celui-ci s'était opposée à ce que l'enfant reçût le contrecoup des détraquements de la jeune femme. Pierre ne connaissait ni les emportements ni les rêveries maladives des louveteaux de Macquart. Fort mal élevé, tapageur comme tous les enfants lâchés librement dans la vie, il possédait néanmoins un fond de sagesse raisonnée qui devait toujours l'empêcher de commettre une folie improductive. Ses vices, sa fainéantise, ses appétits de jouissance n'avaient pas l'élan instinctif des vices d'Antoine ; il entendait les cultiver et les contenter au grand jour, honorablement. Dans sa personne grasse, de taille moyenne, dans sa face longue, blafarde, où les traits de son père avaient pris certaines finesses du visage d'Adélaïde, on lisait déjà l'ambition sournoise et rusée, le besoin insatiable d'assouvissement, le cœur sec et l'envie haineuse d'un fils de paysan, dont la fortune et les nervosités de sa mère ont fait un bourgeois.

Lorsque, à dix-sept ans, Pierre apprit et put comprendre les désordres d'Adélaïde et la singulière situation d'Antoine et d'Ursule, il ne parut ni triste ni indigné, mais simplement très préoccupé du parti que ses intérêts lui conseillaient de prendre. Des trois enfants, lui seul avait suivi l'école avec une certaine assiduité. Un paysan qui commence à sentir la nécessité de l'instruction, devient le plus souvent un calculateur féroce. Ce fut à l'école que ses camarades, par leurs huées et la façon insultante dont ils traitaient son frère, lui donnèrent les premiers soupçons. Plus tard, il s'expliqua bien des regards, bien des paroles. Il vit enfin clairement la maison au pillage. Dès lors, Antoine et Ursule furent pour lui des parasites éhontés, des bouches qui dévoraient son bien. Quant à sa mère, il la regarda du même œil que le faubourg, comme une femme bonne à enfermer, qui finirait par manger son argent, s'il n'y mettait ordre. Ce qui acheva de le navrer, ce furent les vols du maraîcher. L'enfant tapageur se transforma, du jour au lendemain, en un garçon économe et égoïste, mûri hâtivement dans le sens de ses instincts par l'étrange vie de gaspillage qu'il ne pouvait voir maintenant autour de lui sans en avoir le cœur crevé. C'était à lui, ces légumes sur la vente desquels le maraîcher prélevait les plus gros bénéfices ; c'était à lui, ce vin bu, ce pain mangé par les bâtards de sa mère. Toute la maison, toute la fortune étaient à lui. Dans sa logique de paysan, lui seul, fils légitime, devait hériter. Et comme les biens périclitaient, comme tout le monde mordait avidement à sa fortune future, il chercha le moyen de jeter ces gens à la porte, mère, frère, sœur, domestiques, et d'hériter immédiatement.

(Début du roman)

Pour approfondir

Marthe ROBERT, *Roman des origines et origines du roman*, Paris, Bernard Grasset, 1972 ; repris en « Tel » n° 13.

Chronologie

Maupassant et son temps

MAUPASSANT ÉCRIT DANS sa correspondance que «la vie privée d'un homme et sa figure n'appartiennent pas au public». Pourtant, les commentateurs se sont beaucoup intéressés à celle de l'écrivain et ont été tentés d'expliquer son œuvre par ses problèmes familiaux, médicaux et autres. Il est vrai que les liens entre la vie et l'œuvre sont nombreux.

1.

Les années de jeunesse (1850-1870)

Guy de Maupassant naît le 5 août 1850 au château de Miromesnil, non loin de Dieppe. Son père, Gustave de Maupassant, est issu d'une famille anoblie au XVIIIe siècle et sa mère, Laure, une jeune femme cultivée et sensible, est la sœur d'Alfred Le Poittevin, un poète disparu très jeune, ami intime de Gustave Flaubert. Maupassant grandit au sein d'un milieu aisé dans la campagne normande, mais son enfance est troublée par les violentes disputes qui éclatent entre ses parents, à cause notamment des aventures extra-conjugales du père. Le couple décide de se séparer à l'amiable en 1863. La mère s'installe alors à Étretat avec Guy et son jeune frère Hervé. Les deux garçons semblent avoir entretenu d'assez bonnes relations malgré leurs tempéraments opposés. Contrairement à son cadet, enfant impulsif et batailleur, le jeune Guy est, selon la correspondance de sa mère, réfléchi et déjà mélancolique.

L'éducation du garçon est essentiellement assurée par sa mère, qui l'initie à l'œuvre de Shakespeare et à la littérature antique. Un abbé de la région assure sa formation en latin et en catéchisme. Il doit tout de même, à l'âge de treize ans, partir en pension à l'Institution religieuse d'Yvetot, où il reçoit un enseignement classique solide. Mais il s'ennuie pendant cinq années dans cette atmosphère confinée et dévote, soumis à une discipline austère, et attend avec impatience les vacances. Il peut alors retrouver les joies de la liberté et de la nature, en particulier des promenades en bord de mer. En effet, dès son plus jeune âge, Maupassant manifeste une fascination pour l'eau qui ne se démentira jamais.

Malgré des résultats satisfaisants, surtout en français et en latin, l'écolier est renvoyé de son établissement en 1868 pour avoir composé une pièce en vers qui, selon les pères, porte atteinte à la morale et à la religion. Il achève donc sa scolarité au lycée de Rouen où il est interne. Pendant ses moments de loisir, il fréquente Louis Bouilhet, un poète méticuleux, ami de sa mère, qui le convainc de la nécessité d'un travail assidu pour devenir un écrivain de talent. Chez lui, Maupassant rencontre Flaubert. Le grand écrivain, déjà reconnu, prend le jeune homme en affection, peut-être parce qu'il lui rappelle Alfred Le Poittevin, son défunt ami. Après avoir obtenu un baccalauréat de lettres, Maupassant entreprend des études de droit. Il s'installe à Paris dans l'immeuble où habite son père, contre lequel il ne semble pas avoir éprouvé de ressentiment, même s'il le considère comme un homme léger. La guerre entre la France et la Prusse interrompt ses études. Affecté à l'intendance, il évite les champs de bataille mais assiste avec un sentiment de révolte aux horreurs de la guerre et à la foudroyante débâcle française.

1850   Mort de Balzac.

1852-1870   Second Empire avec Napoléon III.

1857   Publication de *Madame Bovary* de Flaubert. L'auteur est traduit en justice pour offense à la morale publique et religieuse, mais est finalement acquitté.

1868   Émile Zola emploie le mot « naturalisme » dans la 2ᵉ édition de *Thérèse Raquin*.

Juillet-septembre 1870   Guerre franco-allemande, qui se termine par la défaite de la France à Sedan et par la proclamation de la Troisième République.

1871   Commune de Paris, réprimée dans le sang.

2.

L'expérience du monde (1871-1880)

De retour à la vie civile, Maupassant subsiste grâce à une petite rente que lui verse son père, mais elle ne suffit bientôt plus et il lui faut trouver un emploi. De 1872 à 1880, il est employé au ministère de la Marine et des Colonies, puis au ministère de l'Instruction publique. Là encore, il étouffe dans l'univers étriqué des bureaucrates. Il se plaint de la monotonie assommante des tâches qui lui sont confiées, de la mesquinerie de ses supérieurs et de la médiocrité de sa paie. Comme au collège, il attend le dimanche pour retrouver non plus Étretat, mais sa nouvelle passion : la Seine. Entre Bezons et Sartrouville, il goûte aux joies de la baignade et surtout du canotage. Le petit fonctionnaire se défoule en souquant ferme et en multipliant les aventures sexuelles avec des prostituées ou des ouvrières parisiennes. C'est à cette époque qu'il attrape la syphilis, qui le rongera jusqu'à la fin de sa vie. En compagnie de joyeux drilles, il fonde la société secrète des Crépitiens (de Crépitus, petit dieu latin des pets découvert en lisant *La Tentation de saint Antoine* de Flaubert) qui fomente des blagues de potache et monte à l'occasion des spectacles graveleux. Sous le pseudonyme de Joseph Prunier, Maupassant compose pour eux quelques pièces polissonnes comme *À la feuille de rose. Maison turque*, qui se déroule dans une maison close. Cette pièce est représentée devant quelques personnalités littéraires de l'époque. Contrairement à Flaubert, Émile Zola, Alphonse Daudet et Edmond de Goncourt sont plutôt réservés... Un procès est même intenté à Maupassant, sommé de s'expliquer sur l'immoralité de l'un de ses ouvrages, mais l'affaire reste sans suite.

Ces années d'ennui et de débauche ne sont pas pour autant stériles sur le plan littéraire. Tout d'abord, un observateur attentif se cache derrière l'employé de bureau apathique et le canotier déluré. Maupassant ne cesse de prendre des notes sur ce qui l'entoure et sur les histoires qu'il entend. On retrouve dans nombre de ses nouvelles l'univers des employés et des boutiquiers parisiens et, plus encore, des scènes de canotage d'une vérité et d'une précision remarquables. Par ailleurs, il rencontre sur les bords de Seine de grands artistes de son temps comme les peintres impressionnistes Monet et Renoir, qui puisent eux aussi leur inspiration dans ces lieux. Flaubert l'introduit aussi dans les milieux littéraires et poursuit sa formation d'écrivain. Ayant décelé chez son disciple des qualités d'observation, il l'incite à les développer par une attention aiguë aux détails et par un souci constant de voir les choses d'une manière neuve. En échange de ses conseils avisés, Flaubert demande parfois à son élève dévoué de petits services. Maupassant lui fournit par exemple des notes sur ses collègues copistes dans les ministères et Flaubert les utilise dans l'œuvre sur la bêtise humaine qu'il compose de 1872 à 1880 : *Bouvard et Pécuchet*. Au début du roman, Bouvard est copiste dans une maison de commerce et Pécuchet… au ministère de la Marine. Enfin, Maupassant mûrit au cours de cette période sa vision pessimiste du monde, à laquelle il trouve une justification théorique chez le philosophe allemand Schopenhauer (1788-1860). Ce pessimisme fondamental touche en particulier les femmes et l'amour : l'amour est une illusion, un piège dans lequel les femmes attirent irrésistiblement l'homme. Quant à la femme mère, elle ne mérite que le mépris car elle ravale l'humain au rang de bête. Malgré ces conceptions misogynes, Maupassant ne manifestera jamais de dégoût à l'égard des femmes et il restera jusqu'à la fin de sa vie profondément attaché à sa propre mère.

1873-1879   Mac Mahon président de la République. Il instaure le régime d'« Ordre moral », qui ouvre une nouvelle période de censure.

1874   Première exposition impressionniste. Le tableau de Monet *Impression, soleil levant*, une vue du port du Havre, donne son nom à l'Impressionnisme.

> 1871-1893   Zola compose le cycle des Rougon-Mac-
> quart, « l'histoire naturelle et sociale d'une
> famille sous le Second Empire ».

3.

Une carrière littéraire brillante (1880-1890)

À trente ans, Maupassant est prêt à entamer une véritable carrière littéraire. Depuis 1876, il appartient
au groupe de Médan qui réunit quelques écrivains
autour de Zola. En 1880 sont publiées *Les Soirées de
Médan*, un recueil de six nouvelles autour de la guerre,
auquel ont collaboré Zola, Huysmans, Alexis, Céard,
Hennique et Maupassant. La contribution de ce dernier, *Boule de suif*, remporte immédiatement un vif succès. Même si cette œuvre collective lance sa carrière,
Maupassant tient à se démarquer d'emblée de l'éti-
quette naturaliste apposée aux *Soirées de Médan*. Il quitte
l'administration en juin, non pour vivre de sa plume,
mais pour des raisons de santé. Il souffre en effet de violents maux de tête, de troubles oculaires, cardiaques et
digestifs. Il subit au même moment la perte douloureuse de son père spirituel, Flaubert.

Dans les années qui suivent, Maupassant publie
nombre de contes, nouvelles et chroniques dans différents journaux. Son succès est également confirmé
par la parution de recueils comme *La Maison Tellier* en
1881 et *Mademoiselle Fifi* en 1882. En dix ans, il écrit
la quasi-totalité de son œuvre : 310 contes et nouvelles,
6 romans et 3 récits de voyage. Son premier roman,
Une vie, est publié en feuilleton dans un journal en
1883, l'année où paraissent *Les Contes de la bécasse*.

Bel-Ami et *Les Contes du jour et de la nuit* suivent en 1885, ainsi que *Mont-Oriol* et *Le Horla* en 1887. *Pierre et Jean*, son quatrième roman, est publié en 1888 alors qu'il est au sommet de sa gloire. Il intente un procès au *Figaro*, qui a publié une version tronquée de la préface. Viennent ensuite, entre autres, le recueil *Sur l'eau*, le roman *Fort comme la mort* en 1889 et, en 1890, la dernière année où il peut travailler, le récit de voyage *La Vie errante*, le recueil *Inutile Beauté* et son dernier roman achevé, *Notre cœur*. Maupassant touche un public large, aussi bien populaire qu'érudit, et il est traduit et publié de son vivant dans toute l'Europe, outre-Atlantique et en Russie, où il est introduit par Ivan Tourgueniev et Léon Tolstoï. Cette réussite fulgurante lui apporte aussi une aisance matérielle nouvelle.

Maupassant vit dans le luxe. Il fait construire une villa à Étretat et conserve un appartement à Paris. Il se plaît à meubler d'antiquités et de curiosités ces deux résidences. Il réalise aussi un rêve d'enfant en achetant un voilier à Cannes et en employant deux marins pour l'entretenir. Il apporte par ailleurs une aide financière à sa mère et à son frère, désormais marié et père d'une fillette. Mais il doit également soutenir une autre « famille ». Il a en effet trois enfants d'une jeune femme de condition très modeste, Joséphine Litzelmann. S'il se préoccupe de leur bien-être matériel, Maupassant n'envisagera pourtant jamais de les reconnaître. Le thème de l'enfant illégitime, récurrent dans son œuvre, trouve donc ici un écho dans sa vie privée. Enfin, l'écrivain reconnu voyage et mène une vie mondaine, sans ralentir pour autant son intense production.

1879-1887   Jules Grévy élu président de la République. La France devient véritablement républicaine. Les lois de 1881 et 1882 garantissent la liberté de la presse et instaurent la gratuité, l'obligation et la laïcité de l'enseignement primaire.

Avril 1880   Parution des *Soirées de Médan*, recueil considéré comme le manifeste du naturalisme.

8 mai 1880   Flaubert meurt d'une hémorragie cérébrale.

1884   La loi Naquet rétablit le divorce, interdit depuis 1816.

4.

Une fin tourmentée

Pendant ces années de gloire, Maupassant doit affronter la maladie. Aux symptômes précédemment évoqués s'ajoutent des hallucinations souvent morbides. En novembre 1889, la mort de son frère Hervé le frappe de plein fouet. Il a été contraint quelques mois plus tôt de le faire interner dans un asile. Dans un accès de fureur, son frère lui crie alors : « C'est toi qui es fou ! » Cette phrase hantera l'auteur du *Horla*. En 1891, Maupassant est atteint de paralysie générale et tente en vain de se suicider. Il est alors interné à la clinique du docteur Blanche à Passy, où son agonie prend fin le 6 juillet 1893.

Pour en savoir plus sur Maupassant

Jean-Marie Dizol, *Guy de Maupassant*, Les Essentiels Milan, 1997.

Jean SALEM, *Philosophie de Maupassant*, Paris, Ellipses, « Littérature et philosophie », 2000.

Albert-Marie SCHMIDT, *Maupassant*, Paris, Seuil, « Écrivains de toujours », 1990.

Éléments pour une fiche de lecture

PIERRE ET JEAN est à la croisée de plusieurs objets d'étude du collège et du lycée (l'étude du récit, l'étude des mouvements littéraires et culturels, éventuellement le travail de l'écriture). Les rubriques qui suivent proposent des pistes pour comprendre et analyser l'œuvre, en rapport notamment avec ces objets d'étude.

Regarder le tableau

- Quel adjectif qualifie le mieux vos sentiments face à ce tableau : vous semble-t-il angoissant ? menaçant ? désolant ? revigorant ? puissant ?
- Observez toute la palette des bleus utilisés par Monet : combien de nuances pouvez-vous distinguer ? À quoi servent les autres touches de couleur (le blanc, le rouge, le noir) ?
- En 1873, Monet peint l'un de ses plus célèbres tableaux, autre vue du port du Havre : *Impression soleil levant*. Trouvez une représentation de cette œuvre et comparez-la à celle en couverture de votre livre, en vous appuyant sur les couleurs, les formes, les lignes de fuite : que pouvez-vous dire ? Six ans séparent les deux toiles : remarquez-vous une évolution de la technique impressionniste de Monet ?

Comprendre l'intrigue

- Que cherche à savoir Pierre durant tout le roman ? Quels sont les éléments qui vont lui faire prendre conscience de la vérité ? Obtient-il finalement de sa mère une réponse de vive voix à ses questions ?
- Relevez dans les premiers chapitres les indices disséminés par le narrateur. Montrez comment le lecteur a assez vite tous les éléments qui lui permettent de découvrir la vérité, peut-être avant Pierre.
- Que pensez-vous de la fin du roman qui voit Pierre partir sur *La Lorraine* dans une cabine où il a un lit comparé à un cercueil mais qui annonce aussi son retour un mois plus tard ?
- Que pensez-vous de la composition du roman ? Montrez les différents effets de symétrie qui structurent l'œuvre.

Comprendre les personnages

- Faites le portrait des deux frères en faisant ressortir la symétrie entre les deux.
- Connaissez-vous d'autres « frères ennemis » dans l'histoire ou la littérature ? Comparez-les à Pierre et Jean.
- Pierre prend souvent dans le roman des attitudes de « magistrat ». Qu'en pensez-vous ?
- Faites le portrait de Monsieur Roland. Que pensez-vous de ce personnage ? En quoi constitue-t-il le type même du petit-bourgeois médiocre ?
- Faites le portrait des deux femmes dans le roman. Étudiez les rapports entre Pierre et ces femmes. Qu'en pensez-vous ?

Le cadre spatio-temporel

- Relevez les lieux où se déroule l'action. En vous servant du paratexte (en l'occurrence, les notes), d'un dictionnaire et d'un atlas, essayez de situer ces lieux. Quel commentaire cela vous inspire quant au mouvement littéraire auquel appartiendrait le roman ?
- Combien de temps dure le roman ? Que pouvez-vous dire du rythme du récit ?

Les choix narratifs

- Quelle est la focalisation dominante dans ce récit ?
- Le point de vue change-t-il à certains moments ? Commentez.

Sujets

- Exposés

1. En vous aidant du dossier, montrez les liens entre le réalisme et le naturalisme et ce roman en vous appuyant sur des passages précis.

2. Étudiez le thème du double dans *Pierre et Jean* et mettez-le en relation avec d'autres œuvres de Maupassant que vous avez lues et qui utilisent le même thème (*Le Horla* par exemple).

3. Mettez en relation *Pierre et Jean* avec des tableaux de la même époque (de Monet, par exemple). Étudiez les ressemblances.

- Commentaires

De nombreux passages de *Pierre et Jean* peuvent constituer de bons entraînements à l'exercice du commentaire, car le roman, sans être trop difficile, est néanmoins très riche et offre prise à l'analyse. C'est le cas de l'incipit, bien sûr, mais aussi de l'annonce de l'héritage (chapitre 1), de la demande en mariage (chapitre 6), de la description de l'appartement de Jean (chapitre 7)...

• Dissertations

1. «Un roman est un miroir qui se promène sur une grande route» (Stendhal, *Le Rouge et le noir*, chapitre XIX, 1830). Cette définition du roman vous semble-t-elle s'appliquer à *Pierre et Jean*?

2. «La psychologie doit être cachée dans le livre comme elle est cachée en réalité sous les faits dans l'existence. Le roman conçu de cette manière y gagne de l'intérêt, du mouvement dans le récit, de la couleur, de la vie remuante. [...] Il me semble aussi que le roman exécuté de cette façon y gagne en sincérité», déclare Maupassant dans *Le Roman*. Pensez-vous que la psychologie soit cachée dans *Pierre et Jean*? Le roman y perd-il (en sincérité notamment)?

Mise en scène

Pour finir, on peut proposer d'aborder ce roman de façon plus ludique, en faisant vivre peut-être davantage le texte. Des passages comme celui de la demande en mariage peuvent facilement être mis en scène et joués à plusieurs. C'est l'occasion d'un travail approfondi sur la transposition des paroles rapportées et la transformation en didascalies de certaines interventions du narrateur.

Pour plus d'informations,
consultez le catalogue à l'adresse suivante :
http://www.gallimard.fr

Composition Bussière.
Impression Novoprint à Barcelone,
le 20 février 2010.
Dépôt légal : février 2010.
1ᵉʳ dépôt légal dans la collection : avril 2005.
ISBN 978-2-07-030644-2./Imprimé en Espagne.

175896